TERREUR À L'AUBERGE DU LAC

ÉMILIE RIVARD

Catalogage avant publication de Bibliothèque et Archives
nationales du Québec et Bibliothèque et Archives Canada

Rivard, Émilie, 1982-

    Terreur à l'Auberge du lac

    (Slalom)

    Pour les jeunes de 9 ans et plus.

    ISBN 978-2-89709-146-0

    I. Gendron, Sabrina, 1984- . II. Titre.

PS8635.I83T472 2016   jC843'.6   C2016-941718-2
PS9635.I83T472 2016

Auteure : **Émilie Rivard**
Illustratrice : **Sabrina Gendron**
Graphisme : **Julie Deschênes et Mika**
Illustrations complémentaires : **Mika**

Dépôt légal – Bibliothèque et Archives nationales du Québec,
4e trimestre 2016

ISBN 978-2-89709-146-0

Gouvernement du Québec – Programme de crédit d'impôt
pour l'édition de livres – Gestion SODEC

Boomerang éditeur jeunesse remercie la SODEC pour l'aide
accordée à son programme éditorial.

Imprimé au Canada

Financé par le
gouvernement
du Canada

Canadä

ASSOCIATION
NATIONALE
DES ÉDITEURS
DE LIVRES

MIXTE
Papier issu de
sources responsables
FSC® C103567

JAMAIS SANS MON TÉLÉPHONE

—Maman, est-ce qu'on arrive bientôt?

—Franchement, **JACKYJACK!** Tu posais cette question quand tu avais quatre ans!

Je déteste quand elle m'appelle ainsi, mais ma mère a peut-être raison. J'agis comme un enfant de **quatre ans** et non de **douze.** Mon problème, c'est qu'on roule depuis des heures! Si on se dirigeait vers New York, ou au moins vers Toronto, je ne serais pas impatient. Malheureusement, ce n'est pas le cas. Nous nous enfonçons de plus en plus dans la forêt dense. Tellement qu'à certains endroits, il n'y a plus de réseau de téléphonie mobile. Moi qui viens justement de recevoir un texto de mon ami Axel !

Axel

Jacob ! Tu vas où, déjà ?

OUF ! Voilà le retour du réseau !

Moi

Vraiment loin ! Sur le bord d'un lac perdu, dans une auberge avec un spa.

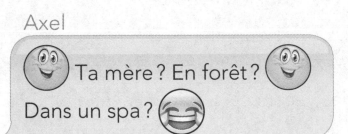

Ta mère ? En forêt ? Dans un spa ?

En effet, ce n'est pas du tout le genre de ma mère! Elle aurait de loin préféré rester en ville. Elle aurait même été plus heureuse à travailler, durant les dix prochains jours! Elle est enquêteuse et c'est une grande passionnée. Elle est certainement l'une des meilleures de la province. Parfois, elle doit repousser ses limites… et celles de la loi pour arriver à ses fins, mais l'important, c'est que les méchants se retrouvent derrière les barreaux, n'est-ce pas ?

Son patron l'a obligée à prendre des vacances. Il paraît qu'elle a fait une petite gaffe à sa dernière mission parce qu'elle était surmenée. C'est le commandant lui-même qui a réservé une place pour nous. Dix jours dans ce trou perdu !

Axel

Tu crois qu'elle va survivre sans mystère à résoudre ?

Moi

J'en doute.

Axel

Le séjour sera long ! Tu ne pouvais pas rester avec ton père ?

Non, il est parti donner des spectacles en Ontario.

Mon père est pianiste. Il m'a offert de l'accompagner, mais il n'est pas seulement musicien, il est aussi un ennuyant papa poule professionnel. J'ai préféré m'enfoncer dans le bois avec ma mère. Il risque d'y avoir plus d'action. Par miracle, nous rencontrerons peut-être des **ÉCUREUILS-GAROUS.** Ou des **poissons vengeurs !**

Axel

Eh ! J'ai oublié de te conter ça ! J'ai vu Marie-Maxime l'autre jour. Tu ne devineras jamais avec qui !

9

Avec qui?

Plus de réseau. **ENCORE !** C'est fâchant, même si le potin ne m'intéressait pas vraiment… non, non. Bon, d'accord, j'aimerais bien savoir avec qui ma voisine et bonne amie Marie-Maxime traînait l'autre jour. Au pire, j'aurai la réponse dans un peu plus d'une semaine. Ah ! C'est trop long ! Fichue forêt !

M'entendant grommeler, ma mère ricane.

—Une chance que tu n'es pas né à la même époque que moi, Jackyjack ! Comment t'en serais-tu sorti, sans téléphone cellulaire et sans Internet ?

— Peux-tu arrêter de m'appeler Jackyjack, s'il te plaît ? Et c'était facile, dans ce temps-là, vous n'aviez aucune idée de ce que vous ratiez ! Au fond, vous étiez **chanceux !** C'est quoi, l'expression ?

— Tu ne vas quand même pas traiter tous les gens nés avant toi d'imbéciles heureux ?

OUPS ! Ah oui ! C'était **ÇA**, l'expression. Sachant que ma mère a déjà poussé quelqu'un hors de sa voiture pour moins que ça (ou presque...), je me tais et je regarde la route. Le GPS nous invite à tourner à gauche à la prochaine intersection. Au même moment, une pancarte nous souhaite la bienvenue à

« Lac-aux-Galets ». Je parie que cet endroit porte son nom à merveille. Après tout, les galets, c'est… plat !

Nous atteignons rapidement un village minuscule composé d'une « épicerie » plus petite que le dépanneur près de l'école, d'une église, d'un observatoire très haut, d'une boutique d'artisanat et de quelques habitations. La route principale, qui semble être l'une des seules rues de la micro-ville, se termine par une côte menant à une étendue d'eau. Il s'agit probablement du fameux lac aux Galets. Oui, j'ai hérité du sens de la déduction de ma mère !

L'auberge où nous sommes attendus se trouve au bas de la pente, tout près du lac. Je l'imaginais vieille et laide.

Finalement, elle n'est pas trop mal. Correcte. Même jolie. Elle semble avoir été rénovée récemment, mais elle a gardé son «cachet rustique», comme ils l'écrivent dans les magazines de rénovation que mon père laisse parfois traîner dans sa salle de bain.

En sortant de la voiture, je jette à nouveau un coup d'œil sur mon téléphone cellulaire. Toujours pas de réseau! **ZUT!** Axel a raison, mon séjour sera très long! Partout autour, je vois des adultes, seuls ou en couple, se détendre près du lac. Étrangement, une petite plage de sable borde l'eau, plutôt que les galets auxquels je me serais attendu. Je crois bien que je suis **l'unique** jeune des environs. Et je ne peux même pas communiquer avec un être humain de moins de 20 ans? Cet endroit est infernal!

Mon regard désespéré croise celui de ma mère. Elle ne semble pas plus enjouée que moi! Les massages et les randonnées en canot ne sont pas tellement son truc, à elle non plus. Au moins, je me sens compris!

—Je suis désolée, Jacob, de t'avoir entraîné ici...

Je suis soudain happé par une vague de positivisme:

—Ça va être le **FUN!** On va faire du plein air!

—Contente que tu voies les choses ainsi...

Un léger sourire aux lèvres et nos valises à la main, nous marchons jusqu'à la réception. Une femme d'une cinquantaine d'années portant un chandail vert à l'effigie de l'auberge et des lunettes rondes rappelant celles de Harry Potter nous accueille. Ses grands yeux et ses cheveux courts lui donnent des allures de chouette.

— Bienvenue à **L'AUBERGE DU LAC !** Vous venez pour le spa ou pour l'hébergement ? dit-elle d'une voix qui roucoule, pour ajouter à la comparaison.

En apprenant que nous avons une réservation, la femme prononce les mots les plus horribles que j'aie entendus de ma vie pas si longue, mais pas si courte non plus :

— Pour vous assurer un décrochage complet du quotidien et une paix d'esprit inégalable, nous gardons vos appareils électroniques à la réception tout au long du séjour.

QUOI? NON! À ma grande surprise, ma mère s'exécute sans discuter. Son téléphone contient tous ses contacts, des notes audio de ses enquêtes (à moins qu'elle les supprime à mesure…), des images et peut-être quelques secrets d'État. Comment peut-elle le tendre à une inconnue sans même rouspéter?

Je ne tomberai pas aussi facilement dans leur piège! Mon appareil ne contient pas de secrets d'État, mais plusieurs photos gênantes de grimaces et de bêtises, prises avec mes amis. Il est très vieux et plutôt nul, mais j'y tiens! Je ne vois qu'une chose à faire: mentir!

—Je n'en ai pas, madame.

Ma mère me donne un de ces coups de coude qui pousse à dire la vérité, toute la vérité et rien que la vérité. Je grogne de nouveau et je retire mon téléphone de ma poche en hésitant. Avant d'abandonner, je tente une autre stratégie:

—Je voudrais le garder pour prendre des photos.

Je suis particulièrement fier de ma trouvaille... jusqu'à ce que la femme sorte du tiroir une petite boîte de carton avec un objectif au milieu. Qu'est-ce que c'est que ce **truc ?** Ma mère éclate de rire et s'exclame :

—Un appareil photo jetable ! Je ne pensais pas que ça existait encore !

Je grogne et je m'avoue vaincu. Je dépose mon téléphone sur le comptoir, sans prendre le vieux machin que l'aubergiste me propose. Je déteste déjà cet endroit !

La dame poursuit :

—Ils seront en sécurité, dans ce casier sous clé, identifiés à votre nom. Bien ! En passant, je m'appelle Régine Sanchagrin, je suis la propriétaire de cette auberge. Venez avec moi,

je vais vous faire visiter les lieux. Oh!
Attendez-moi une seconde, je vais
chercher les papiers de bienvenue, je
n'en ai plus ici…

Elle disparaît derrière une porte.
Pendant que nous patientons, un
homme très grand, barbu et habillé
d'un veston et d'une cravate, se présente
aussi à l'accueil. Il n'a pas du tout le
look vacancier détendu des autres
touristes. Il est reçu par un employé
portant le même t-shirt vert que la
propriétaire. Ce dernier s'exclame:

—Monsieur Groulx! Je suis surpris
de vous voir ici! Vous n'aviez pas
réservé!

—Non, je suis venu dès que deux
de vos anciens clients m'ont écrit.

Ils m'ont dit avoir été en présence d'un phénomène paranormal. Est-ce que c'est plus fréquent, ces temps-ci?

—Oui… Depuis que le maire a disparu du tableau!

—Le maire a **COMPLÈTEMENT DISPARU** du tableau?

—Oui. Ce n'est jamais arrivé avant. On pensait qu'il reviendrait quelques heures plus tard, mais non, ça fait trois jours.

—Incroyable!

Madame Sanchagrin réapparaît. Elle salue l'homme à cravate, qui semble être un habitué, interrompant ainsi la conversation **si étrange!**

Des phénomènes paranormaux? Un maire sorti d'un tableau? Finalement, ce ne sera peut-être pas aussi ennuyant que je le croyais…

La propriétaire nous tend les dépliants qu'elle est allée chercher, puis elle nous présente l'employé d'une vingtaine d'années qui s'active à côté d'elle :

— Jean-Michel est mon fils. Si vous avez besoin de quoi que ce soit, n'hésitez pas à le demander à l'un de nous deux !

Je me retiens de pouffer de rire en me disant que Jean-Michel et Régine Sanchagrin, c'est presque aussi difficile à prononcer que « les chemises de l'archiduchesse sont-elles sèches ou archisèches ». Axel et Marie-Maxime auraient trouvé ma blague hilarante !

Pendant que je me divertis dans ma tête, madame Sanchagrin nous fait signe de la suivre jusqu'à notre chambre, en nous décrivant les lieux au passage.

—La porte ici, juste à côté de l'accueil, mène aux soins de santé. Vous prenez rendez-vous quand vous le désirez pour un massage ou un bain de boue. Tout est inclus dans votre forfait ! On veut que vous soyez tous les deux traités aux petits oignons ! Au fond là-bas, c'est le restaurant-bar. Ici, je vous fais remarquer ce tableau. Vous en trouverez partout dans l'auberge, mais celui-ci est très particulier.

Le tableau qui orne le hall d'entrée semble tout à fait ordinaire. Il montre deux hommes attablés devant trois chopes de bière. Derrière, une serveuse essuie un autre verre. En remarquant un vide, à l'avant de la toile, je comprends que c'est dans cette image qu'un maire se trouvait. Ma mère prend son ton naïf pour demander ce qu'il a de spécial (alors qu'elle a bien entendu Jean-Michel et le client en parler!). Au sourire qui se dessine sur le visage de madame Sanchagrin, je dirais qu'elle attendait cette question avec impatience, de toute façon.

—Ce tableau est… **ensorcelé.** Il **BOUGE** durant la nuit! Pas le cadre lui-même, en fait, mais les personnages qui s'y trouvent. Et bizarrement, depuis quelques jours, l'homme le plus important a disparu! Il s'agit de Pierre-Paul Plourde, le maire du village de 1911 à 1937. Cette scène se déroule dans la vieille partie de l'auberge, plus spécialement au restaurant-bar, qui était à l'époque une taverne où les décideurs du comté se rencontraient.

Sceptique, ma mère ajoute:

—J'imagine que ce maire est mort dans des circonstances étranges et qu'une légende raconte que son fantôme rôde toujours au village, non?

—Évidemment qu'il rôde toujours! Puisqu'il bouge dans le tableau! répond la propriétaire en riant, comme s'il s'agissait de la plus grande des évidences!

Oh! Quelque chose me dit qu'il ne faut pas trop insister… Madame Sanchagrin nous fait monter à l'étage, là où se situe notre chambre. Premier point positif de ce voyage : notre suite est immense! Les deux lits sont séparés par une porte coulissante. La vue sur le lac et sur les montagnes environnantes est magnifique! Finalement, peut-être arriverons-nous à survivre un peu plus d'une semaine. Le plus **difficile** sera de ne pas mener d'enquête, avec ces histoires de phénomènes étranges…

MISSION SANS OUTIL

Après un bon dîner santé, ma mère et moi avons déjà épuisé les sujets de conversation. On ne connaît pas vraiment les mêmes groupes de musique et on n'apprécie pas exactement les mêmes films, elle et moi. J'aime bien quand elle me raconte ses histoires de jeunesse, comme celle où elle avait enfermé son frère dans une valise et l'avait fait glisser dans les escaliers «juste pour voir ce que ça ferait», mais je les ai toutes entendues au moins 63 fois. Et comme elle doit résister durant tout notre séjour à mener la plus petite enquête, on évite tous les deux de parler de l'étrange tableau.

—Tant qu'à avoir droit à des soins de santé, on pourrait peut-être en profiter… Qu'en dis-tu, Jacob ?

Elle me tend le dépliant que madame Sanchagrin nous a donné à notre arrivée et qui énumère les possibilités.

L'Auberge du lac

Soins

Massage aux pierres chaudes

Massage suédois

Massage avec chant des baleines

Massage sur chaise

(Si c'est madame Sanchagrin qui donne ce soin, personne ne doit arriver à le demander! «Je souhaite un massage sur chaise par Miss Sanchagrin, s'il vous plaît!» **IMPOSSIBLE!**)

Enveloppement aux algues

Bain de boue

Manucure

Pédicure

—Qu'est-ce que c'est, déjà, «pédicure»?

—Un soin des pieds.

—Avec du vernis et tout?

—Quelque chose comme ça, je crois. Je n'en ai jamais eu.

J'éclate de rire en m'imaginant avec des orteils peints en rouge. Mon fou rire redouble lorsque je pense à ma mère, pas tellement coquette, à une séance de pédicure. Gare à la personne qui osera toucher à son petit orteil!

Au moment où je m'apprête à répondre que les soins de santé, ce sera pour une autre fois (à ma retraite, par exemple!), un plan se forme dans ma tête et je réplique plutôt:

—J'ai toujours eu envie de savoir ce que ça faisait, un bain de boue!

Maman, surprise, se laisse alors tenter par l'aventure et opte pour un enveloppement aux algues.

Nous nous dirigeons donc vers la partie « spa » de l'auberge, là où nous enfilons des robes de chambre blanches. J'imagine qu'il faudrait que je sois tout nu en dessous, mais comme je n'ai pas vraiment l'intention de plonger dans la boue, je garde secrètement mes caleçons de Batman… Je me sens incroyablement rebelle! **Hi! Hi! Hi!**

Ma mère part de son côté, alors qu'une fille m'indique la pièce où je dois entrer. À l'intérieur se trouve une grande baignoire remplie d'un liquide épais et brun pâle. Ça ressemble à une piscine de lait au chocolat! Wow! Un bain chocolaté! Ce serait fantastique! Mais réveille, Jacob! C'est de la **BOUETTE!** L'employée me dit qu'elle m'avertira quand mon temps sera écoulé, dans trente minutes. Je lui souris exagérément en la remerciant. La musique de chute d'eau et de chants d'oiseaux me distrait et j'en oublie mon plan durant un instant. Puis ça me revient. Je trempe seulement mes pieds et mes mains dans la boue. C'est doux et moins **DÉGOÛTANT** que je le croyais! J'enfile ensuite les babouches qu'on m'a prêtées et je cours jusqu'à la réception. Jean-Michel Sanchagrin (avec sa chemise sèche) joue à un jeu de patience sur l'ordinateur.

—Un problème, jeune homme? s'informe-t-il, visiblement agacé par mon arrivée dans le hall.

—Oui! En embarquant dans le bain de boue, j'ai accroché quelque chose qui bougeait! C'est dégoûtant!

Un couple qui vient d'entrer, peut-être justement dans le but de se détendre dans la bouette, recule d'un pas en entendant mon histoire. Sans même consulter sa compagne du regard, l'homme dit simplement:

—On va repasser!

Oups! Jean-Michel semble en colère lorsqu'il demande:

—Il y a vraiment quelque chose qui **BOUGE** dans la boue? Ou bien c'est un mauvais tour?

Je sors mes grands talents de comédien, cachés très loin, pour faire « **OUi** » de la tête. Son expression change soudainement. Jean-Michel est alors découragé.

—Ah non! Pas encore une grenouille! Je vais devoir régler le problème moi-même, une fois de plus!

Il marmonne qu'il est le seul à travailler dans cette auberge. Il pénètre dans la section des soins de santé, me laissant sans témoin à deux pas du coffre contenant mon téléphone cellulaire! Pas de temps à perdre! **Réfléchis,** Jacob! Je jette un coup d'œil aux petites portes alignées derrière le comptoir de la réception. Je fixe celle sur laquelle se trouve le nombre 202.

Mon appareil est si près de moi, mais complètement inaccessible! Je regarde à gauche, à droite, encore à gauche et tiens, un dernier regard à droite. Personne. Le couple de tout à l'heure est maintenant loin, les autres clients de l'auberge profitent des activités de détente ou de plein air et madame Sanchagrin est probablement à la poursuite du fantôme du maire Plourde. Je me glisse derrière le comptoir, où je m'assois à même le sol pour éviter d'être vu. J'ouvre un premier tiroir rempli de crayons. Le deuxième est muni d'une serrure. Ah ha! La clé que je cherche doit y être! Je tire sur la poignée au hasard… C'est bel et bien verrouillé. Zut!

J'ai l'impression de me trouver dans un film de cambriolage. Un de ceux dans lesquels le héros défie la loi pour une juste cause… Mais au cinéma, le personnage principal est toujours très bien préparé. Pas moi. Il est aussi très bien outillé. Pas moi. Il n'est jamais en babouches et en robe de chambre. Heureusement que j'ai gardé mes sous-vêtements! Ils ne me sont d'aucun secours, mais je me sens un peu moins idiot… Tout de même, il m'est impossible de trouver dans ma poche un petit objet pouvant être transformé en clé. Je devrai élaborer un plan B, tout ça avant que Jean-Michel se rende compte que rien ne bouge dans la baignoire et qu'il revienne.

Tout à coup, je pense à l'ordinateur, à deux pas de moi. Il est certainement connecté à Internet! Faute de mettre la main sur mon téléphone, je devrais envoyer un courriel à Axel. Comme ça, il pourrait acheter un nouveau téléphone et me le poster ici! C'est probablement extrême, comme solution... NON! C'est une question de survie! D'accord, j'exagère un peu. Mais je devrais quand même rassurer Axel, qui ne comprendra pas pourquoi il n'a soudainement plus de nouvelles de moi. Je me relève juste assez pour apercevoir l'écran. Je ferme la fenêtre du jeu de patience de Jean-Michel, puis j'ouvre le navigateur Internet. Je me rends en quatre clics à ma boîte de réception de courriels.

Je me rassois ensuite au sol, le clavier sur les genoux, pour composer mon message.

Salut, Axel !

Je n'ai plus accès à mon téléphone. Je sais, c'est épouvantable ! Pire que quand mon père l'avait confisqué (parce qu'au moins, on se voyait tous les jours toi et moi). J'essaie de régler le problème le plus vite possible.

Ciao !

Et voilà ! C'est envoyé. Je m'apprête à retourner de l'autre côté du comptoir quand un bruit de sonnette me fige d'effroi. C'est peut-être moins terrifiant qu'une bombe ou une scie mécanique entre les mains d'un dingue dans un film d'horreur, mais cela signifie qu'un client est à moins d'un mètre de moi! J'entends des voix. Au moins trois.

— Vous savez qu'il y aurait un **fantôme** dans l'auberge?

— Oui! C'est pour ça qu'on est ici, aussi! C'est excitant…

— Imaginez! Un **VRAI** fantôme!

Je ne peux quand même pas me relever! Que penseront ces gens en voyant un garçon en robe de chambre à la réception? Je lance rapidement le premier objet qui me tombe sous la main (une tasse pleine de café) d'un côté, puis, toujours accroupi, je me précipite dans l'autre sens. Ça fonctionne! Les clients qui patientent devant moi ont fixé la tasse, intrigués par cette chose qui semble avoir roulé jusque-là par elle-même. J'explique, le plus naturellement possible :

— C'est sûrement le fantôme!

Attiré par le son de la cloche, Jean-Michel revient. Il s'excuse auprès des quatre personnes, puis se tourne vers moi pour me dire :

— Tu peux plonger dans ton bain de boue, on a réglé le problème. Mais... je te tiens à l'œil, jeune homme.

Retourner dans le bain ? Avec la **GRENOUILLE ?** Hum… Ça me semble maintenant beaucoup plus amusant ! Je décide donc d'aller patauger dans la boue. C'est drôle, je ne sais pas si je dois me sentir comme les adultes qui relaxent dans l'eau argileuse ou comme un petit garçon qui profite du fait que ses parents regardent ailleurs pour sauter dans une flaque profonde. Malheureusement, Jean-Michel s'est trop bien occupé de la grenouille, elle n'est plus là. Moi qui croyais l'avoir inventé, voilà que je m'ennuie du batracien !

Une fois sorti, je me lave et je passe à nouveau dans le hall, là où madame Sanchagrin raconte son histoire de tableau qui bouge à deux des nouveaux clients croisés plus tôt. Jean-Michel joue toujours à son jeu de patience, sur son ordinateur. Étrangement, je lui trouve un air plutôt impatient! Je monte à notre suite de luxe pour attendre ma mère. Je suis surpris de la voir assise sur son lit. Son enveloppement aux algues devait pourtant être plus long que mon bain…

—Alors Jackyjack, comment c'était, ce bain de boue?

—Tu pourrais m'appeler juste Jack, ce serait déjà mieux. Le bain était… étonnant. Et toi, maman, ces algues?

—Elles m'ont fait le plus grand bien!

Ma mère a véritablement l'air détendu. On pourrait croire qu'il n'y a rien de plus normal, après un soin de santé, mais personne ne la connaît autant que moi. Une seule chose peut peindre **CE** sourire radieux sur le visage de ma mère : un début d'enquête. Ou au moins un début de mini aventure... Que **cache-t-elle,** cette fois-ci ? J'imagine que je finirai bien par en savoir plus !

LA DISPARITION DE
PIERRE-PAUL PLOURDE

Ce matin, je me réveille plus reposé que jamais. Je ne sais pas ce qui se cache dans ces oreillers, mais c'est efficace! Du chloroforme, peut-être? Ma mère lit le journal en sirotant son café, près de la fenêtre qui donne sur le lac. Je sens qu'aujourd'hui sera une journée relaxante pour vrai. Nous avions seulement besoin d'un moment d'adaptation à ce rythme lent, j'imagine! Je n'ai pas mon téléphone, et puis quoi? Je vais très bien vivre sans! Des tonnes de jeunes de mon âge n'en ont jamais eu et ils s'en sortent très bien!

Maman et moi descendons déjeuner au restaurant de l'auberge. En passant dans le grand hall, je jette un coup d'œil curieux à la fameuse peinture ensorcelée. Le maire n'est toujours pas revenu. J'ai l'impression que l'un des autres hommes ne regarde plus au même endroit. Mais c'est si difficile à croire! C'est sûrement mon imagination qui me trompe. Il y a tant de détails sur le tableau, comment tout retenir? C'est comme jouer au jeu des sept erreurs, mais en ayant accès à une seule des deux images… Ah! Si j'avais mon téléphone, je pourrais prendre des photos à plusieurs moments et ainsi retracer les changements.

Si changements il y a ! Mais non, Jacob ! **TU N'EN AS PAS BESOIN,** de ton **TÉLÉPHONE.** J'essaie de voir le tableau comme un amusant jeu d'observation, à la place. Pendant combien de temps est-ce que je conserverai cette attitude zen ? Je n'en ai aucune idée !

—Ça n'a pas remué. Leur histoire de fantôme, c'est des sottises ! me chuchote maman.

—On dirait que le bras, là…

—Tu as l'impression que ça a bougé parce qu'on t'a averti que ça bougerait ! Tu conditionnes ton cerveau à voir quelque chose qui n'existe pas, parce qu'on te fait croire que ça existe, tu comprends ?

47

—Mouais… peut-être…

Elle me croit dupe et ça m'énerve. J'ai maintenant envie que le tableau bouge, juste pour lui prouver qu'elle a tort! Orgueilleux? Moi? Pas du tout!

Après le déjeuner, nous passons tous les deux par la grande bibliothèque où des centaines de livres sont disponibles pour les clients de l'auberge. Je choisis une bande dessinée. Ma mère agrippe un ouvrage au hasard. Quand elle s'aperçoit qu'il s'agit d'un roman d'amour (pas du tout son genre!), elle hausse les épaules et se dirige vers la sortie. Je la trouve bien étrange, ce matin. Aurait-elle été ensorcelée par le fantôme du maire Plourde? **HA! HA! HA!**

Je m'installe sur une grande chaise de bois. C'est une journée magnifique, ensoleillée, sans être trop chaude. Plusieurs embarcations flottent sur le lac, les pêcheurs sont à l'œuvre. J'ouvre ma BD et, après dix pages, je me rends compte qu'elle est complètement ennuyante! Le héros se met dans le pétrin par sa faute et finit toujours par être sauvé grâce à quelqu'un d'autre. **FRANCHEMENT!** Dans la vie, les choses sont… un peu plus compliquées!

De temps à autre, je jette un coup d'œil vers ma mère. Elle lit la fin du premier chapitre depuis au moins dix minutes.

—Maman?

—Oui, Jackyjack?

—Pour une millième fois : peux-tu arrêter de m'appeler comme ça?

—Non, pas vraiment.

GRRR !

—Il est intéressant, ce roman?

—Non, pas vraiment.

—On pourrait faire un tour de kayak, à la place?

—Bonne idée! Allons enfiler nos costumes de bain!

Nous courons presque dans le hall. J'ai juste le temps de remarquer l'air réprobateur de Jean-Michel. Son regard noir ne nous freine pas ; au contraire, ma mère accélère dans les escaliers et je suis son rythme. Sitôt dans la chambre, un détail attire mon attention. Dans la grande fenêtre, une trace de main blanchâtre, comme laissée par quelqu'un de très poussiéreux, a fait son apparition. Quand je le fais remarquer à ma mère, elle répond simplement :

— Probablement la femme de chambre.

— Les lits sont défaits et tes miettes de biscuits sont encore par terre. Si la femme de chambre est passée, elle fait un très mauvais travail !

Je m'approche et je pose ma paume contre la trace. Bizarre, ça vient de l'extérieur! D'après la différence de grandeur, je dirais qu'il s'agit d'une main d'homme. Quand je lui fais part de mes observations, mon enquêteuse préférée émet un petit **«OH!»** de fierté, mais se reprend et me rappelle qu'on n'a pas le droit de mener d'enquête, même si c'est seulement pour découvrir qui a laissé un carton de lait vide dans le réfrigérateur!

—Toi, tu ne peux pas résoudre de mystère. Mais ton patron ne m'a pas empêché de le faire…

Elle soupire, un sourire aux lèvres. Elle aime bien quand je tente de suivre ses traces! Elle me fait un signe de la main, que je traduis par : « Va essayer d'en savoir plus, alors ! » C'est peut-être seulement la marque d'un homme à tout faire qui est venu régler la climatisation, mais j'ai tellement besoin d'action ! Je sors de la chambre en trombe et je descends les marches à toute vitesse.

Au milieu de l'escalier, je passe tout près de faire trébucher le fils Sanchagrin, qui monte au même moment.

—Oh ! **Désolé !**

Je voudrais profiter de l'occasion pour lui poser des questions à propos de la trace de main, mais il m'interrompt :

—Jeune homme! Tu te trouves dans un lieu de calme et de ressourcement. Comme tu l'as sûrement remarqué, on ne voit pas beaucoup d'enfants dans les parages.

Oui, je m'en suis aperçu! Mais je n'ai pas le temps de lui prouver mon sens de l'observation, puisqu'il continue son discours:

—Je m'attends donc à ce que tu fasses preuve d'un peu de maturité et que tu descendes ces marches avec délicatesse, avant que quelqu'un se blesse! Où allais-tu de façon si pressée, d'ailleurs?

—Je voulais justement vous voir! Je me demandais si quelqu'un avait fait des rénovations à l'extérieur de notre chambre, pendant qu'on était au bord du lac.

—Non, personne. Pourquoi?

—Parce qu'il y a une trace de main d'homme dans une vitre.

Madame Sanchagrin entend notre conversation, du bas des marches. Elle se permet de répondre:

—La raison est simple: c'est le fantôme du maire! Il aime bien passer par les pièces du deuxième palier!

Je suis peut-être jeune, mais je ne suis pas non plus idiot! Je la rejoins, en essayant de ne pas trop froncer les sourcils. Pour le bien de mon enquête, je préfère ne pas me mettre les propriétaires à dos !

— Et dites-moi, madame Sanchagrin, comment ça fonctionne ? Le fantôme du maire sort du tableau quand il a envie de se balader ?

—Mais non ! Les fantômes ne sont pas **DANS** le tableau ! Ce serait ridicule, non ?

Ah ! Elle n'est donc pas si dupe… Elle ajoute :

—En réalité, c'est le fantôme qui les fait bouger !

Tout compte fait, elle est complètement naïve. À moins qu'elle mente ? Quand elle se met à raconter la légende du maire Pierre-Paul Plourde avec le plus grand sérieux, je devine qu'elle y croit véritablement. Comme tous ceux qui, il y a des centaines d'années, pensaient que la Terre était plate.

Des spécialistes sont venus inspecter ces lieux. J'ai même un certificat d'authenticité d'événements surnaturels pour le prouver! Et un journaliste qui écrit des articles sur les phénomènes du genre est l'un de nos clients fidèles. Il est d'ailleurs ici depuis quelques jours. Mais la meilleure preuve qu'on puisse avoir, c'est la légende de Pierre-Paul Plourde lui-même.

Pierre-Paul Plourde est né ici, à Lac-aux-Galets. Il n'a jamais mis les pieds de l'autre côté de la frontière du village ! Dès son plus jeune âge, il sentait les dangers qui guettaient les habitants avant même qu'ils se produisent. Il a sauvé son petit frère, qui est passé à deux doigts de la noyade, et son voisin, quand le toit de sa maison a failli lui tomber sur la tête. Il est devenu maire du village très jeune. Et étrangement, lorsqu'il a été élu, le poisson s'est mis à être plus abondant dans le lac. Les riches touristes se sont faits plus nombreux. Trois des femmes du village qui n'avaient toujours pas d'enfant sont tombées enceintes en même temps. Le bonheur est revenu !

Un jour, sans que personne ne sache trop pourquoi, le maire s'est fait plus discret et silencieux. On ne l'entendait plus rire. Les orages ont commencé à être plus fréquents. Le niveau du lac a monté, menaçant les maisons les plus rapprochées. Quelques jours plus tard, le maire a disparu et on ne l'a plus jamais revu. Mais plusieurs événements se sont produits par la suite, prouvant aux habitants du village que Pierre-Paul Plourde veillait toujours sur eux.

Trois clients de l'auberge qui passaient dans le hall pendant le récit de madame Sanchagrin se sont arrêtés pour l'écouter, la bouche ronde d'admiration.

—Et c'est depuis ce jour que le tableau bouge? interroge l'un des clients, un homme chauve et bedonnant.

—Non. Au début des années 2000, un peu avant que j'achète l'auberge, plusieurs villageois ont prétendu que Pierre-Paul avait été vu à Montréal dans les années 1940 et que ces vieux **MENSONGES** n'avaient aucun sens. Ils clamaient que le maire Plourde les avait tout simplement abandonnés. C'est à cette période de doute que le tableau s'est mis à bouger, pour rappeler aux plus sceptiques que le fantôme était toujours dans les parages.

J'ai du mal à croire cette légende, mais l'histoire était quand même beaucoup plus palpitante que la bande dessinée que je lisais tout à l'heure! Je m'apprête à remonter à ma chambre sans avoir d'indice à propos de la trace de main quand l'homme grand et barbu arrivé à l'auberge en même temps que nous passe devant moi, toujours vêtu de sa cravate. Régine Sanchagrin l'arrête :

—Monsieur Groulx ! Notre jeune ami ici a vu une trace de main dans sa fenêtre. Croyez-vous, comme moi, que ce pourrait être un phénomène paranormal ?

—Tout à fait ! Je dois sortir un instant, mais je pourrais regarder ça de plus près à mon retour ?

—Bien sûr !

L'aubergiste ne me demande pas si j'ai envie que cet homme rentre dans notre chambre, possiblement pendant notre absence, d'ailleurs! Elle remarque mon agacement et me dit:

—Ne t'en fais pas, monsieur Groulx est un spécialiste des phénomènes paranormaux. En plus simple: un spécialiste des fantômes. On fait affaire avec lui depuis plusieurs années!

En plus, elle me prend pour un **IDIOT!** J'aurais peut-être dû me taire à propos de cette main et trouver des indices par moi-même, finalement…

LE BOUCHÉ BOUCHER
BOUCHER

Quelques minutes plus tard, ma mère me rejoint à la réception. Ensemble, nous nous rendons à la remise, près du lac, où se trouve le matériel nautique. Une employée de l'auberge, très bronzée, nous prête des gilets de sauvetage, des kayaks et des pagaies. Elle nous donne les consignes de sécurité, que j'écoute attentivement. Contrairement à toutes les autres mères de l'univers, la mienne ne tient presque jamais compte de ce genre de recommandations! Puis nous mettons nos embarcations à l'eau. Bouger un peu me fait le plus grand bien. Quelle idée on a eue aussi d'essayer de faire des activités de détente! Maman et moi sommes identiques sur ce point : **RELAXER NOUS STRESSE!**

Au centre du lac, j'entends un pêcheur s'exclamer. Il semble avoir attrapé toute une prise! Je songe à nouveau à la légende racontée par la propriétaire. Et si c'était vrai? Perdu dans mes pensées, je ne regarde plus trop où je m'en vais et je fonce dans le canot de deux garçons d'à peu près mon âge. **Wow!** Des jeunes! Épaté par cette apparition, je ne prête d'abord pas attention à ce qu'ils me disent. L'un d'eux répète :

—Regarde où tu vas, Joe !

—Je m'excuse ! J'étais dans la lune.

Ils continuent leur route en mau-
gréant. **Zut !** Trois secondes après
avoir découvert qu'il existait des jeunes
dans les environs, je me débrouille
pour qu'ils me détestent !

J'entends alors des éclats de rire
derrière moi. Je fais pivoter mon
kayak pour voir ma mère pliée en
deux. Elle m'imite, d'abord le regard
perdu au loin, puis qui sursaute et
bafouille. Je n'aime pas qu'on se
moque de moi. Surtout quand ça
vient de mes propres parents. C'est
fou comme l'expression **« MÈRE
INDIGNE »** lui va à ravir !

—Change d'air, Jacob! Je te paye un dîner plein de gras pour me faire pardonner.

Ça tombe bien, mon estomac commence à gargouiller bien fort! Mais je vois mal où elle trouvera ce **« dîner plein de gras »**. L'auberge ne sert que des petits plats sans sel, sans sucre et plein de vert! Elle pointe alors l'enseigne sur une bâtisse que j'avais d'abord prise pour un simple chalet. **« Chez Galet, le roi de la frite! »** Juste devant, un quai attend qu'on y accoste. En me levant de mon kayak, je perds l'équilibre et tombe directement dans le lac. Bravo! Je viens de donner une raison de plus à ma mère de se bidonner pour encore quelques dizaines d'années! Le pire, c'est qu'elle est trop occupée à rigoler pour m'aider! Je finis par sortir de l'eau, retirer mon gilet de sauvetage et marcher jusqu'au casse-croûte.

Je commande une poutine **EXTRA** saucisse, tandis que maman choisit les hot-dogs. Nous nous assoyons à côté d'un homme et d'une femme qui ont environ l'âge de mes parents. Ils chuchotent en nous lançant quelquefois des regards discrets. En fait, pas assez discrets pour qu'une grande enquêteuse et son fils ne les remarquent!

Maman ne se gêne pas pour les interrompre:

—Bonjour! Ça va?

Mal à l'aise, la femme se contente de sourire exagérément. L'homme prend la parole :

—Je vois que vous avez avec vous des gilets provenant de l'Auberge du lac. Vous y séjournez ?

Nous hochons la tête en guise de réponse.

—On y était aussi, la semaine dernière. On devait y passer tout le mois, mais, finalement, on a décidé de changer d'auberge.

—Ah oui ? Pourquoi donc ? demande maman.

Elle semble réellement curieuse.

—On ne voudrait pas vous faire peur, mais…

Je précise :

—On n'est pas vraiment peureux !

La femme ajoute :

—On a vécu des choses assez troublantes ! Vous savez qu'un **FANTÔME** hante les lieux ?

—On a entendu parler de cette histoire, oui…

—On n'y croyait pas, au début. Mais…

La femme s'arrête, prise d'un grand frisson. Son mari poursuit. Il raconte qu'une nuit où ils se moquaient de la propriétaire et de ses légendes de tableau qui bouge, ils ont entendu un bruit étrange. Puis tous les meubles se sont mis à trembler en même temps. La porte de leur chambre s'est aussi ouverte, puis refermée en claquant. Ils ont d'abord cru qu'il s'agissait d'un tremblement de terre, mais personne d'autre dans l'auberge n'a vu ni entendu quoi que ce soit! Effrayés, ils ont quitté l'auberge le lendemain matin pour terminer leurs vacances à l'auberge Marius, de l'autre côté du lac.

Je fais alors le lien avec l'arrivée du grand monsieur à cravate.

—Et vous avez appelé monsieur Groulx, le spécialiste en fantômes?

—Non…

Tiens, c'est étrange. D'autres clients ont probablement vécu une situation semblable, alors.

Assis à une table un peu plus loin, un homme vêtu d'une chemise à carreaux en partie cachée derrière sa très grosse barbe noire **éclate de rire.** Le couple de touristes, maman et moi nous retournons vers lui, intrigués. Il s'explique sans tarder :

—Il y a peut-être un peu plus de phénomènes inquiétants à l'Auberge du lac, vu que c'est là où vit le fantôme du maire Plourde, mais si vous avez peur des esprits et des événements étranges, je vous conseille de changer carrément de village !

73

—Qu'est-ce que… que… que voulez-vous dire? bredouille la femme.

—Vous ne saviez pas que Lac-aux-Galets est l'endroit au Québec et peut-être même au Canada où on retrouve le plus de légendes? Évidemment, celle du maire Plourde est la plus connue. Mais ma préférée, c'est celle du vieux boucher Boucher.

Je l'interromps pour une petite précision :

—Il était têtu?

—Non! Il était boucher de métier et son nom de famille était Boucher. Remarque, j'imagine qu'il avait aussi une tête de cochon! C'est donc la légende du bouché boucher Boucher.

Elle me plaît déjà, cette histoire!

D'après le barbu, le bouché boucher Boucher avait une fille, que tout le monde appelait Biquette.

Biquette Boucher! J'ai failli m'étouffer avec ma boisson gazeuse en entendant ce nom!

Le boucher avait dit à tous qu'il donnerait la main de sa fille à celui qui lui apporterait un poulet assez gros pour nourrir tous les invités le jour du mariage. Évidemment, c'était impossible! C'était une façon pour le père de dire à tous les jeunes hommes du village qu'il ne leur permettrait jamais d'épouser sa fille!

Un jour, un étranger est arrivé dans la région. Celui-ci a promis au boucher mieux qu'un gigantesque poulet. Il s'est engagé à trouver un cochon capable de nourrir le village en entier pendant trois ans ! Et effectivement, le cochon qu'il a apporté le lendemain était gigantesque ! L'étranger a marié Biquette. Le jour du mariage, personne n'a mangé de cochon. La bête et le boucher avaient tous les deux disparu. Biquette a pleuré pendant des jours et des jours. Puis elle a décidé de partir du village avec l'étranger. Certains disent que le mari de Biquette était... le diable en personne ! On ne l'a plus jamais revue, elle non plus. Parfois, la nuit, dans l'épicerie construite sur le site de l'ancienne boucherie, on entend encore les grognements d'un porc et les cris du bouché boucher Boucher.

WOW! Quelle histoire qui donne froid dans le dos! Je note tous les détails dans ma tête pour pouvoir la raconter à mes amis, à mon retour chez moi. Je suis certain qu'Axel et Marie-Maxime l'adoreront aussi!

Les deux touristes ont l'air pétrifié. Quand ils bougent à nouveau, c'est pour échanger un regard et quitter la table sans même finir leurs burgers! L'homme barbu **éclate de rire.** Aurait-il inventé l'histoire du bouché boucher Boucher juste pour effrayer le couple? Ma mère semble lire dans mes pensées. Elle demande:

—Cette légende, vous venez de l'inventer, pas vrai?

Il reprend son sérieux tout d'un coup. Il a même l'air offusqué.

—Pas du tout! J'aime bien faire réagir les gens avec les légendes de Lac-aux-Galets, mais en inventer, ça, jamais! Notre passé, ma petite dame, c'est notre richesse, ici. Les événements bizarres ont été nombreux, mais c'est ce qui fait que les habitants sont unis.

Si je comprends bien, cet homme croit vraiment à l'histoire d'un... cochon géant qui aurait mangé un boucher? Décidément, ce village m'amuse beaucoup plus que je l'aurais imaginé!

LE DIABOLIQUE PÊCHEUR

Après avoir terminé notre délicieux repas (ils sont un peu fous, dans ce village, mais ils cuisinent des frites succulentes!), nous reprenons nos embarcations. Cette fois-ci, j'arrive à remonter dans mon kayak sans me mouiller le petit orteil. C'est une grande victoire! Nous pagayons encore une bonne heure, puis nous décidons de retourner à l'auberge. En fait, je décide de retourner à l'auberge, foudroyé par une grosse envie de **PIPI**!

En entrant, ma mère me suggère de me rendre directement à la chambre, pendant qu'elle cherchera un meilleur roman dans la bibliothèque. Je doute qu'elle trouve le livre du siècle, mais je ne lui fais pas remarquer, pressé de passer à la toilette. Je m'y prends à trois fois avant de déverrouiller la serrure. Je laisse la porte grande ouverte et je me rue vers la salle de bain. Aaaaaah! Enfin! Pendant que je me lave les mains, j'entends ma mère, de retour dans notre suite.

—Ah, maman! Je viens d'éviter une explosion de vessie! C'est passé proche… Je pensais que j'allais éclater dans le corridor. **SPLLLLLLACH!**

ARK!

Étrangement, maman ne répond pas. Pourtant, je lui ai fait une superbe passe pour qu'elle marque un point avec une de ses légendaires niaiseries! Mais non. **Oh! Oh!** La porte était restée ouverte... Ce pourrait être **N'IMPORTE QUI!** Un voleur? Monsieur Groulx? Jean-Michel? Un faux fantôme? Ou, qui sait, un **VRAI?**

Très gêné et un peu inquiet, j'entrouvre la porte de la salle de bain. Une fille aux cheveux blonds et bouclés est penchée au-dessus de mon lit. Que fait-elle là? Comme elle n'a pas l'air d'une criminelle, j'ose sortir de ma cachette. L'adolescente se retourne, un grand sourire au visage. Elle porte le même chandail vert que madame Sanchagrin et son fils. C'est donc une employée de l'auberge. Elle confirme:

—Merci de ne pas avoir explosé dans le corridor. J'aurais dû tout nettoyer et ça m'aurait vraiment dégoûtée!

Je me sens rougir comme le pêcheur qu'on a croisé plus tôt, sur le lac, celui qui avait oublié de se badigeonner de crème solaire. La fille de chambre pouffe de rire.

—C'est toi qui passes la semaine ici avec ta mère? Jean-Michel te déteste déjà, tu sais!

—Je ne suis pas étonné…

Je remarque à ce moment que la trace de main n'est plus dans la vitre.

—Tu as nettoyé la drôle de trace?

—Quelle drôle de trace? Oh non! Tu avais commencé à… avant de…

Je l'arrête avant qu'elle finisse sa pensée.

—**OUACHE ! NON !** La trace de main, dans la fenêtre.

—Ah! Non. Je ne sais pas de quoi tu parles.

Ah! Étrange.

—J'ai croisé ta mère. Elle a l'air sympathique!

—Oui. Bien… pour une mère, elle n'est pas trop pire. J'aimerais bien avoir d'autres choses à faire que de passer du temps avec elle, mais je vais peut-être survivre.

Cette fille me semble vraiment gentille. Et quelque chose dans son regard moqueur me laisse supposer qu'elle n'est pas trop du genre à suivre les consignes à la lettre. Je tente donc un grand coup :

—Penses-tu que tu pourrais me rendre un **GROS** service ?

—Demande, on verra bien !

—Est-ce que tu pourrais récupérer mon téléphone cellulaire qui est dans le coffret de sécurité à l'entrée ?

Elle réfléchit quelques secondes et me répond :

—Il faudrait que je vole les clés. Je pourrais me mettre dans le trouble.

Et de toute façon, il n'y a ni WiFi, ni réseau pour ton téléphone cellulaire dans les environs. Désolée! Mais je peux te présenter du monde plus jeune que ta mère, par contre! Mon cousin et ses amis ont douze ans. Tu dois avoir à peu près cet âge-là toi aussi, non? Ce soir, ils seront au cinéma en plein air organisé par l'auberge, près du lac. Ils font jouer des vieux films, mais d'habitude, c'est bien plaisant.

Sur le coup, l'idée m'emballe. Puis je réalise que j'ai probablement percuté le canot de son cousin tout à l'heure. Je n'ai pas tellement envie de le revoir… Pendant que je boude un peu dans un coin, la fille finit son travail.

Ma mère entre quelques minutes après son départ.

—Tu as rencontré Héléna, la fille de chambre?

—J'imagine, oui. Je ne lui ai pas demandé son nom.

—Elle est gentille, non?

—Ouin. Correct.

—Elle t'a parlé du cinéma en plein air? Je pense que tu devrais y aller! Moi, j'ai trouvé un roman policier, je vais relaxer au lit, ce soir. Ou je vais me faire couler un bon bain. Ça fait des siècles que je n'ai pas pris un long bain!

Si elle n'a pas pris de long bain depuis des siècles, c'est parce qu'elle

DÉTESTE ça! Et lire un roman policier? Elle ne le supportera pas plus de dix pages! Elle le refermera d'un coup, en se plaignant que ses propres aventures sont plus palpitantes que celles du héros!

Je décide quand même d'aller assister au film, ne serait-ce que pour savoir après combien de temps ma mère me rejoindra à la course! Ainsi, après le souper, j'enfile une veste noire, celle qui me permettra de me cacher sous mon capuchon si l'envie me prend de disparaître. Je descends les escaliers et je jette un coup d'œil au tableau qui bouge, par simple curiosité. Le personnage qui riait ne rit plus! Il faut avouer que c'est étrange, tout ça!

Je passe devant le comptoir de la réception. Jean-Michel me lance un regard noir et me fait signe qu'il me surveille. Héléna a dû lui raconter que je lui avais demandé de récupérer mon téléphone… Je n'en fais pas trop de cas. Je sors et je descends l'allée qui mène au lac. Une grande toile blanche a été installée contre la remise contenant le matériel nautique. Une dizaine de personnes sont assises sur des chaises ou des couvertures de laine étendues par terre. Une odeur de maïs soufflé m'attire vers une table où l'on sert des grignotines. J'y trouve Héléna, qui s'occupe des jus et du maïs.

—Eh! Jacob! Tu as bien fait de venir. J'ai justement aperçu mon cousin, il y a quelques secondes.

Elle hèle une bande de quatre jeunes, deux gars et deux filles. Alors qu'ils s'approchent, je constate que les deux garçons sont bien ceux que j'ai failli faire chavirer plus tôt. J'enfile rapidement mon capuchon, espérant qu'ils ne me reconnaîtront pas. Héléna nous présente :

—Miro, Math, Cass et Jess, voici Jacob. Jacob, c'est Miro, Mathieu, Cassandre et Jessie.

Miro tend la main pour que je la serre ou pour que je tape dedans, ce n'est pas bien clair. Je décide de taper dedans, c'est quand même un peu plus **COOL** !

—Je te reconnais, toi! s'écrie alors Mathieu. Tu es le gars qui nous a foncé dessus sur le lac!

Et voilà! Je croyais avoir une mince chance de me faire des amis; ça aura duré 14 secondes! Devant mon air abattu, Miro enchaîne:

—Ne fais pas cette tête-là, Jack! On se fait rentrer dedans par tous les gars de la ville comme toi! Et ce n'est pas comme si tu avais fait éclater notre bateau comme le pêcheur Sylvestre Marquis!

—Le pêcheur Sylvestre Marquis?

J'aurais dû m'en douter: le pêcheur Marquis est un des personnages célèbres d'une autre légende de Lac-aux-Galets !

Le pêcheur Marquis était un grand imprudent. Un vrai casse-cou ! Un jour, bien avant que les moteurs existent, il avait voulu créer une machine capable de propulser sa chaloupe. Ingénieux, le bonhomme Marquis ? Plutôt paresseux et dangereux ! Dès qu'il a essayé de démarrer sa création, Sylvestre s'est tranché un bras !

Cassandre **grimace**, Mathieu éclate de rire et poursuit son histoire.

Le pêcheur aurait pu tout arrêter et se trouver un autre emploi. Au lieu de cela, il a conclu un pacte avec le diable.

Il lui a vendu son âme en échange d'un moyen de faire avancer sa chaloupe très vite sans se forcer, jusqu'à l'autre bout du lac, là où le poisson mord si bien. Ça a fonctionné, mais la première fois qu'il a utilisé le sort du diable, il n'a pas réussi à contrôler son embarcation. Il a foncé à vive allure dans le canot d'un autre pêcheur. On n'a plus revu ni l'un ni l'autre vivant. On n'a jamais retrouvé leur corps non plus.

Je crois que je connais déjà la fin de l'histoire…

—Et j'imagine que, la nuit, on peut parfois les entendre gémir quand on va sur le lac?

—**Pas seulement** la nuit. Et **pas seulement** sur le lac. Autour aussi…

J'aime beaucoup les légendes de Lac-aux-Galets, en partie parce que, même si je sais bien qu'elles sont truffées de mensonges, elles parviennent toujours à me faire frissonner !

Le film commence. Il s'agit d'une comédie que j'ai déjà vue. Mais c'est très agréable de la revoir dehors, entouré de nouveaux amis et de maïs soufflé ! Quand le générique de fin défile sur l'écran, nous nous quittons tous les cinq en nous donnant rendez-vous le lendemain devant la minuscule épicerie.

Le sourire aux lèvres, je remonte à notre suite. Tiens ! Étrange... Ma mère est parvenue à rester tranquille toute la soirée. **INCROYABLE !**

En entrant, je l'entends crier, de la salle de bain :

—Allô, Jack ! Alors, ce film ?

—Oh ! Pas de Jackyjack ! Merci ! Le film était pas mal. Et toi, ce bain ?

—Très reposant !

Eh bien ! L'air du lac la transforme ! Et moi aussi ! Le sommeil me gagne plus vite que jamais. Je me laisse tomber sur mon lit. Au moment où ma tête atteint mon oreiller, je sens un bout de papier se coller contre ma joue.

S. ? Qui c'est, S. ? De toutes les personnes que je connais ici, aucune n'a un nom qui commence par S. À part… **SYLVESTRE MARQUIS !**

6

LE S. MYSTÉRiEUX

Franchement! Un vieux personnage de légende qui laisserait un mot sur mon oreiller, le soir où j'apprends son existence! C'est complètement idiot, comme idée! Quand même, j'ai beau chercher, je ne vois pas qui pourrait être ce S. Comment savoir si cette personne me veut du bien ou non? Son message n'en dit pas très long! «Rejoins-moi près de l'écran de cinéma.» Pourquoi? Et comment cette personne a-t-elle réussi à entrer sans que ma mère s'en rende compte?

—Maman?

—Oui ?

—As-tu passé toute ta soirée ici ?

—Oui, pourquoi ?

—Et personne n'est venu ?

—Non, pourquoi ?

—Tu n'as rien entendu ?

Ma mère adore mener des interroga-
toires. À l'inverse, elle déteste en subir
un ! Elle s'impatiente.

—Je n'ai rien entendu d'étrange,
Jacob. Mais **VAS-TU ME DIRE
POURQUOI ?**

Des sons de vaguelettes m'indiquent
qu'elle sort du bain. Je ferais mieux

de ne pas lui montrer la note. Si je décide d'aller voir qui l'a écrite, elle refusera de me laisser partir **(LA HONTE !)**, voudra venir avec moi **(DOUBLE HONTE !)** ou s'y rendra à ma place **(TRIPLE HONTE !)**. Je cache vite le papier dans la poche de ma veste noire. Je devrai essayer de mentir. C'est tout un défi, un de ceux que je préfère éviter, d'habitude !

Ma mère sort de la salle de bain, vêtue de son peignoir.

—Je... C'est parce que je ne trouve plus mon portefeuille et je me dis que quelqu'un l'a peut-être volé !

C'est tout à fait crédible, cette excuse ! Bravo, Jacob !

—J'ai mis tous nos objets de valeur dans le tiroir qui se verrouille, dans le meuble près de la fenêtre. Pourquoi as-tu besoin d'argent?

—Le maïs soufflé était vingt-cinq sous. Un de mes nouveaux amis m'a avancé l'argent, je voulais le lui rembourser.

WOW! Je suis épaté par mon imagination! Ma mère prend la clé, cachée sous une semelle dans sa chaussure. Elle ouvre le tiroir, n'en sort que mon porte-monnaie et me le lance directement dans les mains. Elle réussirait à projeter un sou dans la fente d'une machine distributrice à quatre mètres d'elle, j'en suis sûr! Maman m'étonnera toujours! En fait, je suis surpris qu'elle n'ait pas décelé un soupçon de mensonge dans mes dernières phrases. Elle me laisse partir, en me demandant de rentrer tout de suite après. Ce que je promets en marmonnant.

Cependant, une fois dans le corridor, je ne suis pas tout à fait certain d'aller au point de rendez-vous donné par l'auteur du message sur le bout de papier. Il me reste encore dix minutes pour me décider, si je veux arriver à temps. Je pourrais très bien lire quelques pages d'une BD ennuyante dans la bibliothèque pendant quelques minutes, faire croire à ma mère que j'ai payé ma minuscule dette et ne plus en entendre parler. D'un autre côté, qu'est-ce qui empêchera le mystérieux S. de me contacter à nouveau ? Ai-je envie de vivre avec ce stress tout le reste du séjour ? Pas tellement... Je ferais peut-être aussi bien de connaître la vérité dès maintenant !

Je prends une grande inspiration, je mets les gènes de poule mouillée de papa de côté, je garde seulement ceux de ma mère brave et je fonce vers la sortie de l'auberge. Je marche lentement jusqu'au lac. Quelques chaises ont été abandonnées devant l'écran, toujours en place. Pour le reste, tout a été rangé et chacun est rentré chez soi.

J'ai quelques minutes d'avance sur l'heure du rendez-vous. Le silence et la noirceur ne me font pas peur, d'habitude, mais, en ce moment, je préférerais me trouver sous le chaud soleil lumineux de l'été, entouré d'une bonne vingtaine de touristes. Un bruit de grosses vagues parvient jusqu'à mes oreilles. Il ne me semble pas provoqué par le vent. Ni même par un bateau, puisque je n'entends pas de moteur. À moins qu'il s'agisse… de la chaloupe fantôme du pêcheur Marquis? Soudain, un grand **CRAC!** résonne au milieu du lac. Le canot de l'autre pêcheur, qui se brise en morceaux, peut-être? Ça suffit! Ce son venait probablement d'un chalet, à l'autre bout de l'étendue d'eau. Ma mère a bien raison, quand on connaît la légende, notre cerveau nous fait voir et entendre toutes sortes de choses!

Les risques sont beaucoup plus grands que le danger ne vienne pas d'un des nombreux fantômes du village, mais de cet habitant qui m'a donné rendez-vous. **S.** Non, vraiment, je ne comprends pas. OH! **S.** comme dans **SANCHAGRIN**, bien sûr! Pourquoi n'y ai-je pas pensé plus tôt? Et la menace de Jean-Michel, tout à l'heure… Ce fils à maman ne me fait pas particulièrement peur, mais… il est peut-être plus dangereux qu'il en a l'air! Je sens qu'il pourrait me causer bien du tort. Et s'il voulait me faire frémir pour que je parte de l'auberge? Ça lui ferait bien plaisir de retrouver la tranquillité d'un lieu sans enfant! Je ferais sûrement mieux de détaler, finalement. Je cours vers le sentier le plus près et **BANG**, je fonce dans une silhouette que j'ai remarquée à la dernière seconde, sans arriver à m'arrêter. Oh! Oh!

—Où tu vas comme ça? As-tu vu un fantôme? Hé! Hé!

Ouf! Je reconnais la voix d'Héléna. Je bégaye, incapable de dire quelque chose de compréhensible. Elle poursuit:

—Tu allais partir sans savoir ce que je voulais te dire?

—S., c'est toi?

—Bien oui! S. pour Séléna, tu n'avais pas compris?

—Ma mère m'a dit que tu t'appelais Héléna!

Elle éclate de rire, avant d'expliquer :

—Ça m'arrive tout le temps ! Quand les gens me demandent mon nom, je réponds « Séléna » et ils entendent « C'est Héléna ». Je suis désolée, Jacob. Mais dis donc, tu es pas mal brave d'être venu sans savoir qui t'invitait ici… On ne sait jamais qui rôde dans le coin…

Je ricane, pour lui montrer que je n'ai peur de personne, mais en réalité un gros frisson me traverse. Séléna me dévoile alors la raison de ce rendez-vous :
MON TÉLÉPHONE !

—Je me suis dit que, si j'étais à ta place, moi aussi je voudrais profiter de toutes les distractions possibles.

Remarque, je ne pense pas que ton appareil soit assez récent pour te permettre de jouer à des jeux incroyables… Mais je te comprends. Je n'aimerais pas qu'un objet comme celui-là soit entre les mains des Sanchagrin. Je les soupçonne de regarder les photos contenues dans chaque téléphone cellulaire qu'ils prennent en otage, juste pour en savoir plus sur leurs clients.

Cette fois-ci, je ne cache pas mon frisson. Je n'ai pas de photos si intimes, mais quand même, j'ai fait quelques bêtises avec Axel et Marie-Maxime pendant ces dernières semaines !

— Tu devines que tu ne dois absolument rien confier à Jean-Michel et Régine ? S'ils savaient que j'ai fouillé derrière le comptoir de la réception, je peux dire **adieu** à mon boulot!

—Évidemment!

—Et je dois t'avouer autre chose. Ce n'est pas tout à fait vrai qu'il n'y a pas de réseau de téléphonie mobile dans les environs. Si tu montes dans les sentiers qui mènent au haut de la montagne à Ferron, tu pourras téléphoner ou envoyer des textos sans problème! Et en attendant, tu devrais en profiter pour prendre plein de photos…

Sans réfléchir, je saute dans les bras d'Héléna. Ou plutôt de Séléna. De ma sauveuse, peu importe son nom! Tout à coup, une question me vient à l'esprit. Comment a-t-elle réussi à

mettre le papier sur mon oreiller sans
que maman la remarque? Je sais bien
qu'elle a la clé de toutes les chambres,
mais si ma mère a été dans notre
suite toute la soirée, il est impossible
qu'elle ne l'ait pas entendue, même si
elle barbotait dans la baignoire. Elle
percevrait le son d'une mouche au
beau milieu d'un spectacle rock! Ou
même les pas d'une chenille au moment
d'un décollage de navette spatiale! À
moins que… Séléna soit en fait… un
fantôme elle-même? Oh! Elle pourrait
très bien être le fantôme de la fille du
boucher Boucher mangé par un cochon,
revenue pour venger son père, non?
La réponse de Séléna est beaucoup
plus simple:

—Elle n'était pas là.

— Quoi ? À quelle heure c'était ?

— Je suis montée dès que le film a commencé, au moment où personne ne faisait attention à moi.

Bizarre. **TRÈS, TRÈS BIZARRE.** Où pouvait-elle être, alors ? Finalement, l'histoire de la fille du boucher Boucher mangé par un cochon me paraît presque moins mystérieuse…

En rentrant dans l'auberge, je remarque que personne n'est à la réception. Ça arrive, parfois le soir, mais c'est très rare. J'en profite donc pour photographier le tableau en douce. Toujours pas de maire Plourde, mais les deux autres hommes, cette fois-ci, jouent aux cartes !

Je retrouve maman couchée sur son lit, son roman policier à la main. Elle semble en avoir lu plus de la moitié. En tout cas, c'est ce qu'elle veut me faire croire! J'essaie d'en savoir plus sur ses plans pour la soirée, mais j'abandonne. Je finirai bien par connaître la vérité. Il suffit d'être patient. Le problème, c'est que… c'est trop long, être patient!

Je me convaincs quand même que la meilleure façon d'avancer dans toute cette histoire pour le moment, c'est de me coucher et de m'assurer d'être bien reposé demain. Je m'endors rapidement, usé par la journée passée à l'extérieur et par l'adrénaline qui retombe.

Quelques heures plus tard, je suis réveillé par un immense **BANG**! Ma mère me rejoint dans mon lit. A-t-elle un air effrayé au visage? Pas du tout! Elle sourit!

—Jack! Toutes les portes viennent de claquer en même temps! Génial, non? Bon! Rendors-toi, maintenant!

Me rendormir… Facile à dire!

UNE BALADE EN MONTAGNE

Durant le reste de la nuit, je me tourne et me retourne dans mon lit. Pour en savoir plus long à propos des légendes de la région, j'aurais besoin d'un accès à Internet. Mais il n'y a de connexion sans fil nulle part dans ce village! L'unique moyen d'y parvenir serait d'utiliser l'ordinateur de la réception. Avec Jean-Michel Sanchagrin qui surveille tous mes gestes dès que j'approche du hall, je ne vois pas comment j'y arriverai! Je pourrais toujours demander à Axel de mener certaines recherches pour moi… Pour ce faire, je devrai monter au sommet de la montagne à Ferron. Seul, idéalement. Ce ne sera pas facile. Ce mont ne me semble pas si haut et le dépliant touristique précise que les randonnées qu'on y fait sont, pour la plupart, de difficulté moyenne. Le gros défi, en fait, sera de partir sans que ma mère ait la puce à l'oreille. À moins que je monte avec elle? Je vais plutôt demander à Miro et à sa bande s'ils veulent m'accompagner! J'arrive à fermer l'œil entre cinq heures et huit heures. J'aurais dormi un peu plus tard, mais ma mère claironne:

— **JAAAAAAACK!** C'est l'heure d'aller déjeuner!

Je **GROGNE**, puis je sors du lit. Une fois sous la douche, j'entends ma mère crier qu'elle m'attend au restaurant. Elle est donc bien pressée, aujourd'hui ! Je me lave en vitesse et je descends à mon tour. Comme toujours, je m'arrête devant le tableau. La partie de cartes est terminée, mais le jeu repose encore sur la table, près des chopes de bière. Toujours aussi étrange… Je jette un coup d'œil autour : personne ne fait attention à moi. Je photographie rapidement cette nouvelle scène. Après avoir rangé mon téléphone dans ma poche, j'essaie de fixer les petits détails. La peinture a l'air exactement comme celle d'hier… Sans trop réfléchir, je tends le doigt vers le coin de la toile et je gratte du bout de l'ongle.

Aussitôt, j'entends quelqu'un derrière moi se racler exagérément la gorge. Jean-Michel Sanchagrin!

—Un peu de respect pour l'art, jeune homme! Franchement!

Je réponds, penaud:

—Désolé…

Il me fixe, puis me suit jusqu'à la salle à manger pour s'assurer que je vais bien rejoindre ma mère. Il en profite pour dire à maman:

—Surveillez votre enfant, madame! Il saccage nos œuvres!

Saccager les œuvres, franchement, c'est un peu fort! Ma mère prend un air outré, que je sais totalement faux, mais qui convainc le sieur Sanchagrin.

—Encore ce tableau qui **« BOUGE »**, Jacob ?

Elle a mimé les guillemets avec ses doigts, pour bien montrer qu'elle n'y croit toujours pas. Je lui prouverai bientôt, grâce aux photographies que je prendrai chaque matin !

—Je ne l'ai pas saccagé, j'y ai juste touché du bout de l'ongle !

—Ne t'en fais pas. Le jour où j'avalerai tout ce que ce Jean-Michel dit, les poules chanteront qu'elles ont des dents sur des airs d'opéra ! Quels sont tes plans pour aujourd'hui ?

Quand je lui explique que j'ai l'intention d'aller faire de la randonnée sur la montagne à Ferron avec mes nouveaux copains, je jurerais qu'elle sourcille durant une fraction de seconde. Elle se reprend assez vite pour que j'aie un doute.

Après le déjeuner, je sors de l'auberge en même temps que ma mère. Elle a supposément affaire au village. Je me demande bien ce qu'elle peut chercher dans les minuscules commerces du coin! Nous remontons la côte ensemble, puisque je dois rejoindre mes amis devant l'épicerie.

Miro et Cassandre sont déjà au point de rendez-vous. Ma mère se présente à eux. C'est le moment le plus gênant de toute mon existence! Bon, d'accord, le plus gênant de la journée. J'aimerais attendre qu'elle s'en aille avant de leur proposer mon plan, mais elle reste avec nous, sous prétexte que l'épicerie n'ouvre que dans quinze minutes. **ARG!** Elle sent que j'ai quelque chose derrière la tête, c'est certain! Elle a peut-être même remarqué la forme de mon téléphone dans la poche de mon chandail. Question de m'enfoncer davantage dans la gêne, elle demande à mes amis:

—Et vous, les jeunes, quels sont vos plans pour la journée?

Cassandre répond:

—On s'en va **toute la gang** se baigner chez mon oncle Herman, à Saint-Pierre-des-Roches. Tu es le bienvenu si tu veux venir, Jacob!

Me voilà pris de court. Je pourrais très bien profiter de cette baignade avec eux. Écrire à Axel me tente aussi beaucoup… Mais maman sait que mes copains ne seraient pas avec moi. Aucune chance qu'elle me laisse y aller!

—Jacob voulait aller sur la montagne à Ferron.

—Ah! Hum… C'est qu'on a fait cette randonnée au moins mille fois…, se désole Miro.

—Ça ne fait rien. Moi, j'ai très envie de l'escalader, cette montagne. Vous ferez autre chose ensemble demain, les jeunes!

Elle est insupportable! En trois phrases, ma mère a réussi à s'assurer que je monterais le mont avec elle! Quand j'essaie aussi de manigancer pour la mettre dans l'embarras en lui demandant ce qu'elle voulait acheter à l'épicerie, elle réplique sans même réfléchir :

—De la crème solaire, je ne suis plus capable de sentir l'odeur de noix de coco de la nôtre!

C'est ainsi que, une demi-heure plus tard, je me retrouve à grimper une montagne avec ma mère et sa crème solaire inodore. Si seulement je pouvais me débarrasser d'elle avant le sommet! Je ne peux quand même pas la pousser en bas! Elle remarque mon air sérieux et me dit :

—On va arrêter de se mentir, toi et moi, d'accord?

Je balbutie :

—Je… ne vois pas **DU TOUT** de quoi tu veux parler !

—Tu as récupéré ton téléphone. Moi aussi. Depuis le premier jour, en fait, au moment où tu étais dans le bain de boue. Juste après que tu as tenté de retrouver le tien.

Et elle n'a pas mis la main sur le mien au même moment ? Comme c'est injuste ! Elle explique qu'elle devait me cacher le fait qu'elle effectuait quelques recherches de son côté. Ah ! Finalement, le tableau qui bouge l'intrigue, elle aussi ! Elle ne voulait pas me l'avouer, mais elle a pris plusieurs photos. Et elle a essayé d'en savoir davantage en appelant son frère du sommet de la montagne, pendant la soirée cinéma.

—Maman! Et ta promesse de ne pas mener d'enquête?

—Ah, Jacob! Ne fais pas ton casse-pieds! C'est pour ça que je ne devais rien te dire! C'est une mini-enquête de rien du tout, juste pour me détendre! Sur quoi penses-tu qu'on pourrait tomber? Un réseau de contrebande de cornes de diable? D'une drogue qui fait croire aux légendes? Ce n'est sûrement pas grand-chose!

—D'ailleurs, à ton avis, est-ce que tout le monde croit vraiment à ces légendes?

—J'imagine que certains, oui, d'autres, non. Ce spécialiste en événements paranormaux a l'air pas mal convaincu. Pour la propriétaire et son fils, j'hésite. J'ai vaguement l'impression qu'ils sont derrière les gestes du «fantôme».

—Pourquoi feraient-ils une chose pareille? Ils éloignent des clients!

—Oui, mais ils en attirent certains, aussi!

—C'est quand même idiot, non?

—Je suis d'accord avec toi. Mais ils n'ont pas l'air d'être des lumières, non plus…

—Tu as raison.

En fin de compte, cette montée dans les sentiers de la montagne est tout à fait agréable. Nous tentons de trouver une explication pour les mouvements de la toile. La plus simple : il s'agit en fait de plusieurs tableaux différents, remplacés chaque jour. Mais qui pourrait peindre autant d'œuvres, juste pour faire croire à une **vieille légende ?** Qui mettrait autant d'effort pour si peu ? Ma mère avoue qu'elle a passé toute une nuit à attendre que quelqu'un change l'image, mais elle n'a aperçu personne.

Arrivés au sommet de la colline, nous sommes accueillis par un petit belvédère. Nous nous assoyons sur la table à pique-nique et **ENFIN** je lis les derniers textos envoyés par mon ami Axel.

Axel

Eh ! J'ai oublié de te conter ça ! J'ai vu Marie-Maxime l'autre jour. Tu ne sauras jamais avec qui !

Moi

Avec qui ?

Axel

Avec le chanteur du groupe Léo et les hauts ! C'est son parrain !

Je m'attendais à ce qu'Axel m'annonce que Marie-Maxime avait un nouvel amoureux. Je ne lui avouerai pas, mais je suis plutôt **soulagé** que ce ne soit pas le cas ! Je poursuis la conversation, trois jours en retard.

Moi

Eh bien !

Quelques secondes plus tard, une réponse surgit :

Axel

Jacoooooob ! Tu es en vie !

Moi

Oui ! J'ai trouvé du réseau ! Mais je n'ai pas accès à Internet.

Axel

Poche, ça !

Moi

Surtout que j'aurais quelques recherches à faire.

Axel

Veux-tu que je les fasse pour toi ?

Moi

Ça ne te dérangerait pas ?

Axel

Je n'ai RIEN d'autre à faire ! Il pleut tous les jours, ici ! Ça me ferait plaisir !

Moi

J'aimerais que tu cherches de l'info sur les légendes de Lac-aux-Galets. Des trucs à propos du maire Plourde, du boucher Boucher, du pêcheur Marquis...

Axel

OK, attends.

Quelques minutes passent. J'en profite pour lever le nez de mon téléphone. La vue est splendide ! On voit tout

Lac-aux-Galets, le lac, les forêts autour et, très loin, un autre village, peut-être celui où mes nouveaux amis se trouvent.

Axel

Vite comme ça, tout ce que je découvre, c'est le site de votre auberge, où on parle d'un tableau qui bouge pendant la nuit.
Ça bouge pour vrai ?

Moi

Ça a l'air que oui…

Axel

COOL ! 😊 👍

Moi

Rien d'autre ?

Axel

Non, rien. Mais je vais continuer à chercher nuit et jour s'il le faut. Tant qu'à ne rien faire… ;)

Axel aurait adoré être ici ! Il aurait cru dur comme fer à toutes ces histoires. Il ne nous aurait pas vraiment aidés à trouver la vérité, mais on aurait eu bien du plaisir !

À la fin de la journée, je retrouve la bande de Miro. Ils ont allumé un feu sur une plage, de galets, celle-là, un peu plus loin de l'auberge. Jean-Michel interdit la moindre flamme sur **SA** plage ! Ils se moquent un peu de ma relation avec ma mère, mais ils cessent rapidement, avouant que leur baignade chez l'oncle Herman n'a pas été si emballante. L'eau était froide et le petit cousin de Cassandre criait sans arrêt.

En revenant dans l'auberge, je sens une grande agitation dans le hall. Madame Sanchagrin a un air de chouette paniquée qui vole dans tous les sens et qui en perd des plumes. Jean-Michel essaie de la rassurer, mais, d'après moi, il est aussi nerveux qu'elle. Monsieur Groulx, le spécialiste en esprits, leur parle calmement. J'aimerais bien entendre ce qu'ils se disent, mais, en me voyant passer, ils se taisent tous les trois. Tout ce que j'ai eu le temps de capter, c'est que monsieur Groulx allait faire venir deux de ses confrères demain, avec davantage de matériel spécialisé.

Maman me raconte qu'il y a eu un début d'incendie près du tableau. Rien de grave, il a vite été maîtrisé. Mais personne ne sait ce qui l'a provoqué... Cette fois-ci, ça nous semble tout à fait improbable que la propriétaire et son fils aient mis le feu eux-mêmes à leur propre auberge ! D'un autre côté, ça expliquerait pourquoi l'incendie a été si vite éteint...

MISSION TABLEAU !

Bibibibiiiip bibibibiiiip bibibibiiiip ! Qu'est-ce que c'est ? L'alarme d'incendie ? Le chant d'un colibri ? Le chant d'un ours qui imite un colibri ? Non ! C'est plutôt le réveille-matin de ma mère. À quatre heures du matin ? Ce n'est pas sérieux ! **BOF !** Elle a peut-être décidé de se remettre au jogging matinal. Ou nocturne. Je me retourne et je m'apprête à me rendormir pour au moins quatre autres heures.

— Jaaaaaaaaaack !

Le visage de ma mère chuchote à quatre centimètres de mon oreille. Impossible de retomber dans les bras de Morphée.

— Maman! Il est quatre heures du matin!

— Faux! Il est quatre heures et onze minutes exactement.

Je maugrée, elle me secoue. Quelle mouche l'a-t-elle piquée pour qu'elle soit aussi désagréable ce matin?

— J'ai eu une idée cette nuit!

— Mais **ON EST ENCORE LA NUIT!**

— Ne crie pas comme ça! Tu vas réveiller toute l'auberge!

Je me soulève sur un coude et je la regarde. Elle a les yeux ronds et sur-excités. Elle est déjà habillée et elle a noué ses cheveux. Je connais bien cet air illuminé et je sais que je ne m'en sortirai pas. Je dois écouter son plan.

Elle veut profiter du fait que tout le monde dort profondément pour observer en paix le cadre de plus près. Elle est certaine que le secret des phé-nomènes étranges (et maintenant de cet incendie) se cache dans le tableau. Je suis plutôt d'accord avec elle. Pour en savoir plus, nous devrons donc :

1) Nous assurer que l'employé de la réception dort à poings fermés (d'après maman, c'était le cas la nuit dernière).

2) Décrocher le tableau. Si quelqu'un change la toile dans le cadre, des indices devraient être visibles à l'arrière.

3) Photographier les preuves.

4) Replacer le cadre à l'endroit exact où il se trouvait.

5) En profiter pour photographier les dégâts causés par le feu.

6) Revenir nous coucher.

— Est-ce qu'on pourrait passer directement au point 6 ?

— Où sont donc ton esprit aventurier et ton goût du risque, mon fils ?

—Dans mon dernier rêve. Je vais aller les récupérer.

Elle râle et se lève du coin du lit où elle avait déposé sa fesse droite. Elle est prête à mener son enquête toute seule pour les prochaines heures. Ah! Enfin la paix! Je m'assoupis rapidement, retournant au pays des licornes, des petits lutins verts et de... **SPLACH!** Une vague froide m'inonde le visage. Je me redresse d'un bond, devant une maman fière de son coup, un verre vide dans la main. Ça va. J'ai compris le message…

Je sors de sous les couvertures et j'enfile des pantalons et un chandail qui traînaient près du lit. Puis nous nous glissons dans le corridor silencieux.

Nous descendons la moitié des marches de l'escalier à pas feutrés. Ma mère s'assoit pour prendre le temps d'observer le hall d'entrée. Je fais de même. Au comptoir de la réception, l'employé dort, la tête couchée sur ses avant-bras, laissant un petit rond de bave sur la paperasse. Une chose de réglée ! Il suffit d'agir en silence pour ne pas le réveiller !

Nous descendons quelques marches. L'employé grogne quelque chose. Sa tête se soulève. Il regarde clairement dans notre direction. Ma mère et moi avons exactement le même réflexe un peu niais : nous le saluons de la main. Il plisse les yeux pour mieux voir, hausse les épaules, puis sa tête retombe sur ses avant-bras, qui n'avaient pas remué. **OUF !**

Nous redoublons de prudence pour descendre le reste des marches et nous attaquer à l'étape 2. Au sol, sous le tableau, je remarque une tache noirâtre laissée par les flammes. L'odeur de bois brûlé est encore présente.

Les personnages de la peinture ont bougé, c'est plus qu'évident cette fois-ci. L'homme de devant a tourné la tête vers l'autre. Je sors mon téléphone de ma poche et je prends vite une photo, avant de replacer mon appareil en lieu sûr. Maman a enfilé des gants de chirurgien, qu'elle traîne toujours dans son sac à main. Oui, elle est **bizarre** comme ça, ma mère! Elle m'en tend aussi une paire.

Je jette à nouveau un coup d'œil vers la réception. Le dormeur ronfle,

141

maintenant. Je scrute tous les coins, les bords, les craques. Je ne vois rien d'anormal. Nous nous mettons ensuite à deux pour essayer de décrocher doucement le tableau du mur. Un peu trop doucement ; le cadre ne remue même pas.

Soudain, je reçois un coup au mollet. Je me retiens très fort pour ne pas hurler un grand « ouch ! ». Je regarde au sol pour découvrir qui m'a frappé. Le pied de ma mère est l'arme la plus près ! Mais pourquoi a-t-elle f… Oh ! Juste à côté d'elle se tient Jean-Michel Sanchagrin lui-même ! Il ne dort jamais, celui-là ?

—Est-ce que je peux vous demander ce que vous faites ?

—Nous observons ce **magnifique** tableau, dis-je sans mentir.

—À quatre heures et demie du matin?

—Nous sommes des lève-tôt, mon fils et moi, monsieur Sanchagrin!

—TSS ! PFF !

Les mots lui manquent apparemment pour exprimer à quel point... il ne nous croit pas! Je suis un peu inquiet. Jean-Michel me trouvait déjà très louche, mais, à présent, je ne pourrai plus remuer du reste de notre séjour sans qu'il soit sur mes talons! Il attachera peut-être une caméra à mes souliers pour suivre chacun de mes pas.

Jean-Michel est nerveux, c'est évident. Ma mère a l'air tout à fait calme.

Techniquement, la personne la plus stressée ne devrait pas être la coupable? Elle va jusqu'à oser demander:

—Désirez-vous appeler la police, monsieur Sanchagrin?

—Euh... Je... Non, je ne crois pas.

—Appeler votre mère, alors?

—Je n'ai pas besoin d'elle pour gérer ce genre de situation! **TSS! PFF!**

Elle est forte! Elle savait bien qu'en étant piqué dans son orgueil, il se contenterait de nous laisser filer.

Ma mère me tire par la manche et m'entraîne ainsi jusqu'à notre chambre. Une fois à l'abri derrière la porte close, elle éclate de rire.

—Mais maman! Ce n'est pas si drôle! Jean-Michel était déjà sur mon dos! Là, on est carrément dans le trouble!

—Dans le trouble, dans le trouble… N'exagère pas, mon chaton!

En y réfléchissant bien, quelle est la pire chose qui pourrait arriver? Que nous soyons mis à la porte de l'auberge. Et si cela se produisait, maman se ferait sûrement gronder par son commandant, mais je pourrais enfin retourner à la maison! Nous ne connaîtrions jamais la fin de cette histoire, par contre… J'enlève les gants et je les lance dans la poubelle avant de tomber endormi, encore tout habillé, par-dessus les couvertures.

LES OISEAUX VENGEURS

Je dors comme une bûche jusqu'à neuf heures. Comme j'avais donné rendez-vous à Miro et Mathieu à dix heures trente devant l'épicerie, je saute rapidement dans la douche et je mets une croix sur le déjeuner. De toute façon, je n'ai aucune envie de passer plus de temps qu'il ne faut dans l'auberge! Je me sens constamment observé!

Maman a décidé d'aller prendre l'air, elle aussi. Elle m'a laissé un petit mot sur un papier roulé en boulette et enfoncé dans mon soulier. Un truc de grand enquêteur? Je ne crois pas, non. Mais avec l'odeur qui sort de ma chaussure, il y avait peu de risque que quelqu'un d'autre que moi le trouve.

Partie au village voisin, pour acheter le matériel nécessaire pour prendre des empreintes!
À plus tard! Sois sage!
Ce message s'autodétruira dans les 30 prochaines secondes, parce que ça pue beaucoup trop dans tes souliers!

Ah! L'humour maternel! Par prudence, je mets le papier dans ma poche de shorts. Je sors ensuite de l'auberge par la porte arrière, bien accessible, mais moins utilisée.

Je me rends vite jusqu'au village pour ne pas être en retard au rendez-vous. Je ne connais pas grand-chose à propos de Mathieu, sauf qu'il déteste attendre! Je le retrouve bel et bien devant l'épicerie, avec Miro qui porte un petit sac carré.

—Sais-tu jouer à la **pétanque?** demande-t-il, après m'avoir salué.

—La pétanque? Le jeu pour les vieux, là?

—Bien… c'est vrai que c'est mon grand-père qui m'a montré à jouer, mais c'est quand même le fun.

C'est mieux que rien. Et avec la pétanque, au moins, je ne risque pas d'être accusé de faire des bêtises et de déranger les adultes ! Je suis donc mes amis vers un grand espace recouvert de poussière de pierre, situé près de l'observatoire. Pendant que Miro sort les boules de son sac carré, je réfléchis tout haut :

—La vue doit être vraiment pas mal, du haut de la tour, non ?

—Je ne sais pas, je ne suis jamais monté.

—Vraiment ?

Grimper **12 000 MARCHES** (ou un peu moins) pour regarder le lac d'en haut n'est peut-être pas l'activité la plus captivante de l'été, mais il y a si peu de choses à faire ici que nous en sommes à jouer… à la pétanque! J'attends que Mathieu s'explique, par une nouvelle légende, évidemment!

En gros, Mathieu raconte que, lorsqu'ils ont bâti l'observatoire, ils ont dû couper un arbre immense. Au sommet de celui-ci se trouvait le nid d'oiseaux carnassiers. Depuis, chaque fois que quelqu'un a essayé de monter dans la tour, il s'est fait attaquer par une bête à plumes (jamais de la même espèce), sur la treizième marche exactement.

—Et si on sautait **PAR-DESSUS** la treizième marche, il arriverait quoi?

—Je ne suis pas vraiment super-stitieux, mais je préfère ne pas tenter l'expérience! De toute façon, le maire du village a fait barrer l'accès.

Je m'approche du bas des marches et je remarque la large planche de bois clouée de part en part de l'entrée. Eh bien! Il vaut mieux jouer à la pétanque, alors. Miro m'explique rapidement les règles. Il faut dire que ce n'est pas très compliqué! Ça ressemble au jeu de billes auquel on jouait dans la cour d'école, en deuxième année! En gros, on doit lancer nos lourdes boules le plus près possible de la petite balle blanche. Cela dit, mes amis ont raison: il y a bien pires occupations que celle-là!

Alors que je suis à deux cheveux de gagner la partie contre Mathieu,

Séléna apparaît au loin. Elle crie quelque chose, mais nous n'entendons pas bien.

— **QUOI ?** lui hurle son cousin.

Elle se rapproche au pas de course et, tout en essayant de reprendre son souffle, elle nous dit :

— Jacob ! Tout le monde vous cherche, ta mère et toi !

— Pourquoi ?

— Une autre femme de chambre que moi a fait le ménage et a mis la main sur un paquet d'allumettes, près de la fenêtre.

Je hausse les épaules, comprenant mal ce qu'on nous reproche, puis j'ajoute :

—Bizarre. Mais pas impossible.

Mathieu et Miro fixent également Séléna, en attente d'un peu plus de détails.

—C'est que… Les allumettes sont les mêmes que celle qu'on a retrouvée près du feu, sous le tableau.

Je sais très bien que je suis innocent. Je serais très étonné que ma mère ait allumé un incendie. Pourquoi, alors, mon cœur cogne-t-il aussi fort dans ma poitrine? J'hésite entre accompagner Séléna à l'auberge pour m'expliquer ou courir dans la direction opposée. C'est beaucoup trop bizarre, tout ça! Si je me sauve, tous les soupçons reposeront sur moi. Je décide donc de descendre la côte qui mène à l'auberge, escorté par Séléna, Mathieu et Miro. Je me sens un peu plus en confiance, avec mes amis.

Nous n'avons pas encore atteint la porte que déjà Jean-Michel me saute presque dessus !

—LE VOILÀ ! LE VOILÀ, LE COUPABLE !

Il a les cheveux dépeignés (ce qui ne lui ressemble pas du tout) et les yeux exorbités. Il fait presque peur ! Il m'entraîne dans le bureau adjacent à la réception. Mathieu, Miro et Séléna n'osent pas nous suivre. La petite pièce est meublée d'une table dissimulée sous la paperasse et d'une chaise. Jean-Michel me fait asseoir sur celle-ci et il reste debout devant moi.

—Alors, vilain morveux, on allume des feux dans **MON** auberge ?

J'aimerais lui faire remarquer qu'il s'agit de l'auberge de sa mère, mais je n'ai pas envie d'empirer mon cas. Je me tais donc.

—Que cherchais-tu à faire ?

Son ton est de plus en plus agressif. Il a approché son visage si près du mien que je sens son haleine chargée de l'oignon qu'il a mangé au petit-déjeuner. Je réfléchis à une façon de répondre pour qu'il me croie, mais je ne vois pas comment améliorer ma cause. Si seulement maman était là !

—Tu ne dis rien ?

Il m'empoigne l'épaule pour me se-
couer, comme si cette manœuvre
allait permettre à la vérité de sortir,
mot à mot, comme des céréales dont
on brasse la boîte. Jusqu'où ira-t-il
pour me faire parler ? Ma nervosité se
transforme peu à peu en réelle peur…

Soudain, la porte du bureau s'ouvre.
La tête de chouette de Régine Sanchagrin
apparaît, suivie par celle, toujours
sérieuse, de monsieur Groulx, le spécialiste en esprits. Je vois Séléna près
de la porte. Je devine que c'est elle qui
est allée chercher les deux autres. En
remarquant l'air furieux de son fils, la
propriétaire s'écrie :

—Jean-Michel ! **Ça suffit !** Ce
garçon n'y est pour rien !

—Comment peux-tu dire une chose pareille? Les allumettes…

Cette fois-ci, c'est monsieur Groulx qui nous fournit des explications :

—Après la trace de main trouvée dans la fenêtre, il paraît évident que cette suite sert de canal de circulation au fantôme…

Ils supposent vraiment qu'un esprit aurait échappé un carton d'allumettes en passant par ma fenêtre? Il serait plus crédible de penser que ma mère a allumé le feu en étant somnambule! Je pose la question, cherchant à mieux comprendre.

—Bien sûr que non! répond le spécialiste. Les fantômes n'ont pas besoin d'allumettes pour créer des étincelles! Seul un courant énergétique assez puissant suffit! Mais il arrive qu'ils soient assez brillants pour faire passer leurs gestes sur le dos d'un être humain. D'après moi, il veut vous éloigner, votre mère et vous.

—Et **POURQUOI NOUS?**

—N'avez-vous pas tenté de décrocher le tableau, la nuit dernière? Il n'aime probablement pas que vous cherchiez de si près…

Aussi étrange que cela puisse paraître, tout à coup, je trouve que son histoire a du bon sens. Leur folie doit être contagieuse! Je demande à Régine Sanchagrin:

—Préférez-vous que nous partions?

À la surprise des deux autres hommes, elle répond :

—Non ! Au contraire ! Vous pouvez rester aussi longtemps que vous le voulez. On ne va quand même pas céder au chantage de ce **FANTÔME** ! Et, monsieur Groulx, vous avez bien appelé des renforts ? Je vous fais confiance, on est tous en sécurité.

Jean-Michel fulmine. Monsieur Groulx, lui, a plutôt l'air hébété. Mais je comprends vite qu'ici, quand madame Sanchagrin parle, tout le monde écoute !

Dès le retour de maman une demi-heure plus tard, je l'entraîne près du sentier qui mène à la montagne à Ferron, au cas où des micros se cacheraient dans notre chambre. On n'est jamais trop prudent! Je lui raconte toute ma mésaventure. Elle est à demi en colère, à demi intriguée.

—Je ne peux pas croire qu'ils t'aient accusé! Mon pauvre Jacob! Je suis **TERRIBLEMENT DÉSOLÉE** de ne pas avoir été là!

—Tu devrais peut-être laisser tomber ta recherche d'empreintes... Il me semble qu'on est déjà assez dans le trouble comme ça!

Ma mère n'est pas d'accord. Mais elle avoue ne plus trop savoir quoi penser de tout ça. Tous ces événements paraissent de plus en plus bizarres! Elle sort alors un crayon et une feuille de papier (le verso d'une promotion de pizzéria), et nous tentons ensemble de clarifier cette étrange histoire.

LES FAITS :

-> Les légendes sont très présentes dans le village.

★ Le maire disparu.

★ Le boucher Boucher dans l'ancienne boucherie.

★ Le pêcheur Marquis.

★ Les oiseaux de l'observatoire.

-> Événement nouveau : le maire est disparu du tableau. Depuis, davantage de phénomènes étranges.

★ Des meubles qui bougent.

* Des traces de main dans la fenêtre.

* Des portes qui claquent.

* Un feu près du tableau.

-> Quelqu'un essaie de nous faire accuser.

NOS QUESTIONS :

-> Qui provoque ces événements et pourquoi?

* Un vrai fantôme, pour retrouver son territoire? Ou parce qu'il est fâché pour une raison x?

Je ramène ma mère à l'ordre :

—Franchement, maman! On sait bien que ce n'est pas une vraie apparition!

163

—Jacob, il faut TOUT écrire!

—Bon, si tu le dis…

Ma mère poursuit.

★ Régine Sanchagrin, parce qu'elle veut attirer des clients?

★ Jean-Michel Sanchagrin, parce qu'il veut attirer des clients ou parce qu'il veut faire fuir certaines personnes? Nous, par exemple? Aurait-il caché quelque chose derrière le tableau, quelque chose qu'il ne veut pas que nous trouvions?

★ Monsieur Groulx, le spécialiste en paranormal, pour profiter des gens naïfs du village dans le but de faire fortune? Cela lui permet peut-être aussi d'être plus connu et d'obtenir d'autres contrats par la suite. Problème: il n'était pas là au moment où le maire a disparu du tableau. Pourrait-il avoir un ou une complice?

★ Le journaliste, qui a envie d'une histoire palpitante à raconter?

★ N'importe quel autre habitant du village?

—> Qui essaie de nous faire accuser?

★ Jean-Michel, encore une fois, pour nous éloigner?

★ Régine?

★ Monsieur Groulx, mais il semble plutôt vouloir convaincre les autres que c'est vraiment le fantôme qui cause tous les problèmes?

★ Un autre habitant du village?

Beaucoup de questions, bien peu de réponses. Cependant, une chose est de plus en plus claire pour ma mère et moi : jusqu'ici, la personne qui semble avoir le plus de raisons de vouloir nous faire du tort est Jean-Michel. Qu'a-t-il à cacher? Encore une fois, la vérité a bien l'air de se trouver dans le tableau…

Pour que personne d'autre que nous ne puisse voir nos notes, ma mère plie le papier et m'invite à le glisser dans ma chaussure jusqu'à l'auberge. Là, je pourrai le transférer au fond de mes bottes de pluie. Ça tombe bien, elles sont encore plus malodorantes que mes espadrilles!

10

LA TREIZIÈME MARCHE

Plus nous observons Jean-Michel, maman et moi, et plus nous lui trouvons un air étrange. Il faut le voir nous suivre comme un vrai chien de poche dès que nous sortons de notre chambre! Il me vient des envies de quitter le village pour vrai et de rentrer à la maison pour de bon.

— Mais nooon ! Nous ne pouvons pas partir avant de connaître les détails de l'histoire…, me convainc ma mère.

Elle a raison. Et ce matin, je suis encore plus intrigué. Le nouveau spécialiste du paranormal est arrivé avec des appareils à la fine pointe de la technologie (ou de la supercherie). Il se prélasse sur la terrasse en buvant un café, en attendant probablement son collègue, monsieur Groulx. Le nouveau venu ne porte pas de cravate. Il me fait un peu penser à Angélique, la fille de mon école qui adore les fantômes. Ses cheveux blonds sont en broussaille et ses vêtements sont froissés, comme s'il avait fait la chasse au maire toute la nuit.

—Tu t'appelles Jacob, non? dit-il, avec un léger accent anglais.

Il a l'air fier de son coup. Je ne suis pas tellement impressionné. Il est clair que Jean-Michel ou monsieur Groulx lui a parlé de moi. Comme je suis le seul client de l'auberge âgé de moins de 18 ans, il ne pouvait pas se tromper! Curieux, je m'assois sur une chaise pas très loin de lui. De toute façon, j'ai quelques minutes à tuer, puisque Miro et Mathieu ont prévu de me rejoindre ici ce matin. Ma mère m'a souvent dit qu'une bonne manière d'en savoir plus sur quelqu'un est de devenir… son grand ami!

—Vous êtes **incroyable!** Comment avez-vous deviné mon nom?

Il sourit. Il se sent très futé, tout à coup. Mon plan fonctionne!

—Ton prénom vibre très fort en toi. Moi, c'est Gary. Gary McCain. Je suis spécialiste en sciences paranormales. Tu sais ce que c'est?

—Oui, je connais ça un peu. Enchanté, monsieur McCain.

—As-tu déjà eu affaire à un esprit avant d'arriver ici?

Je lui parle alors de l'enquête que ma mère, mes amis et moi avons menée quelques mois auparavant.

—Mon ami Axel et moi avons long-temps cru qu'il s'agissait du **FANTÔME** du concierge mort dans le sous-sol.

—Pourquoi imagines-tu que ton mystère n'était pas causé par cet esprit?

—Parce qu'on a trouvé une… autre explication.

J'ai plutôt failli prononcer les mots «MEiLLEURE EXPLiCATiON», mais je me suis retenu. J'ai l'impression que pour ce Gary, les fantômes sont toujours **LA MEILLEURE** déduction. Lorsque je lui raconte comment s'est terminée notre enquête, il éclate de rire.

—Il est brillant, ce fantôme! Il a réussi à vous faire croire ce qu'il voulait que vous pensiez!

Je peux bien faire semblant d'être son nouveau copain, mais il y a quand même des limites à participer à ses lubies! Je jette un coup d'œil à ma montre. Dix heures trente-neuf... Mes amis sont en retard... Ils ont mal choisi leur moment pour me faire patienter! À moins que j'aie mal compris et qu'ils m'attendent au village? Ils sont peut-être au terrain de pétanque!

Je salue un peu froidement Gary McCain et je monte vers le village. Mes amis ne sont pas en vue. Leur serait-il arrivé quelque chose? Et si c'est le cas, est-ce que ce serait par ma faute? **QUELLE HORREUR!**

Je prends quelques grandes inspirations. Il ne sert à rien de sauter si vite aux conclusions. Je me calme peu à peu. Je m'adosse à la tour d'observation en attendant que Mathieu, Miro, Cassandre ou Jessie apparaisse. Je profite de l'attente pour jeter un coup d'œil de plus près à cette tourelle supposément gardée par des oiseaux vengeurs.

Je compte les marches et je fixe la treizième, sans trop comprendre ce qu'elle a de spécial. Tout à coup, une pensée me traverse l'esprit : si tous ceux qui ont voulu monter dans l'observatoire ont été attaqués à la treizième marche, pourquoi la quatorzième et les suivantes sont-elles aussi usées que les premières ? Techniquement, elles n'ont à peu près jamais servi, non ? Elles n'ont pas pu être endommagées par la pluie, puisque l'escalier est couvert ! Étrange… très étrange !

Il n'y a qu'une façon d'en savoir plus… C'est de grimper jusqu'en haut de cette tour !

Moi

Axel ! Je viens d'affronter… LA MORT !

Axel

QUOI ?

Moi

Mais je suis en vie.

Axel

Ouf !

Moi

Je n'ai même pas trouvé
un petit danger.

Axel

Encore ouf !

Moi

J'ai plutôt trouvé du réseau de téléphonie mobile beaucoup plus accessible qu'au sommet de la montagne !

Axel

Cooooooool ! Et pourquoi personne ne te l'avait dit ?

Moi

Parce que personne ne vient ici. ENCORE une légende !

Axel

Tu n'as pas eu peur ?

Moi

Du tout !

Axel

Même pas un tout petit peu?

J'hésite avant de répondre « **NON** ».
J'avoue que, plus superstitieux que je le
croyais, j'ai sauté par-dessus la treizième
marche. Mais aucune bête à plumes
ne m'a attaqué!

Moi

Pas vraim…

Je ne termine pas ma phrase. Un petit
oiseau gris vient se poser près de moi.
Il me rend soudainement nerveux.
Les habitants du village tiennent tellement à leurs légendes qu'ils dressent
peut-être des moineaux pour effrayer
ceux qui s'aventurent tout en haut de

l'observatoire! « Relaxe, Jacob! Il est tout petit et inoffensif, celui-là! » Il se promène un peu plus loin. Je le suis quand même des yeux. C'est alors que je remarque un papier froissé au sol. C'est un emballage de burger provenant d'une célèbre chaîne de restaurant-minute.

Axel

Jacob ? Tu es encore là ?

Moi

Oui, oui. Je viens de voir quelque chose de bizarre.

Axel

Quoi ?

Moi

La preuve que des gens utilisent la tour.

Axel

Comme ça a l'air palpitant, dans ce village ! Je ne pensais jamais dire ça, mais j'aimerais tellement te rejoindre !

Moi

J'adorerais ça aussi. Mais tu peux au moins suivre l'histoire. Un journaliste se promène partout dans les corridors, prend des notes, questionne tout le monde, écrit des articles sur son ordinateur portable… j'imagine que tu peux lire ses reportages quelque part ! Il travaille pour le journal web *Soir et matin.*

Axel

Je cherche !

Soudain, j'entends des voix qui proviennent d'en bas de la tour. Ça ressemble à celles de Miro, de Mathieu et de Cassandre.

—Eh, les gars! Vous ne deviez pas aller rejoindre Jacob à l'auberge?

—**OH NOOON!** Mathieu! On a complètement oublié! Il va nous trouver vraiment poches!

—J'espère qu'il ne croira pas qu'on est fâchés contre lui à cause de cette histoire de cadre et de feu…

—Pensez-vous quand même que ça pourrait être lui qui a allumé l'incendie?

—Impossible! Il était avec nous sur la plage de galets, vous vous souvenez ?

—Il faisait noir, il aurait pu partir sans qu'on le remarque…

—Franchement, Cassandre! Tu pousses un peu loin.

—Peut-être…

Ah! Je suis soulagé de savoir que j'ai des alliés dans ce village! Le trio se dirige vers l'auberge… où je ne suis pas. Il vaudrait mieux qu'ils ne découvrent pas ma cachette; ils pourraient se mettre à douter de mon innocence!

Axel

J'ai trouvé le site de *Soir et matin*. Rien sur tes fantômes!

Moi

Je dois partir, mon vieux,
mais je te réécris très bientôt !

Axel

Ciao !

Je laisse Mathieu, Miro et Cassandre
prendre une légère avance et je descends le plus subtilement possible.
Encore une fois, je m'assure de ne
pas effleurer la treizième marche !
Une fois de l'autre côté de la barrière,
je cours le plus vite que je peux vers
l'auberge, en empruntant un autre
chemin que celui de mes amis. Le
mien est un peu plus long et plus boisé.
Grâce à mon sprint, nous arrivons au
même moment.

Lorsqu'ils me rejoignent, ils se confondent en excuses.

—Ça ne fait rien, j'ai plutôt décidé de… d'aller… **jogger!** Depuis le temps que ma mère me parle des bienfaits de la course, j'ai fini par la croire!

Et eux aussi finissent par me croire. Après tout, je ne leur ai pas vraiment menti, je viens effectivement de faire toute une course! Alors que je reprends mon souffle, Séléna nous rattrape.

—Madame Sanchagrin a décidé de présenter un autre film en plein air, ce soir, pour alléger un peu l'ambiance!

Miro, Mathieu et Cassandre jubilent. Je suis bien content moi aussi, mais je me questionne sur les vraies intentions de la propriétaire : alléger l'ambiance ou éloigner les clients de l'intérieur de l'auberge pour laisser à Jean-Michel le loisir de réaliser ses plans possiblement diaboliques ? Hum… Il faut absolument que je croise ma mère avant la projection. D'ailleurs, où est-elle passée, celle-là ? Je ne l'ai pas vue depuis un bon moment… Eh bien ! Les mystères se font de plus en plus nombreux…

L'APPARITION DU MAIRE

Malgré tous les mystères qui planent et les **dangers** qui nous guettent, la soirée cinéma en plein air s'annonce identique à la précédente. Le soleil se couche lentement, mais la température demeure confortable. L'odeur du maïs soufflé que sert Séléna flotte au-dessus des chaises installées devant le grand écran. Ce soir, Régine Sanchagrin a décidé de présenter un vieux film familial avec un gros chien. J'ai passé l'âge d'écouter ce genre d'histoires, mais avec Jean-Michel qui ne me lâche pas des yeux, j'ai intérêt à rester ici. C'est d'ailleurs lui qui s'occupe de la projection. Je ne pourrai donc pas m'éclipser en douce et rejoindre ma mère. Elle s'est postée au restaurant de l'auberge, là où elle peut prendre un verre de vin, mais surtout observer les allées et venues dans le hall. Je suis un peu jaloux en songeant à l'action qu'elle vivra peut-être, pendant que je perdrai mon temps sur la plage. Puis j'y pense : si Jean-Michel est ici, il ne peut donc pas faire de **BÊTISES** ailleurs !

Jessie, Cassandre, Miro et Mathieu m'accompagnent. Ils ont vu ce film **50 fois**, mais ils apprécient tout de même ce moment où une très grande partie du village se réunit. Je reconnais d'ailleurs la caissière de la minuscule épicerie, le barbu bedonnant qui nous a raconté la légende du boucher Boucher et le pêcheur beaucoup trop rouge, que j'ai tous rencontrés au fil des jours dans les environs.

Mon petit bol de maïs soufflé en main, je prends place sur une des grosses chaises de bois. Jessie me rejoint et s'assoit sur le large accoudoir de droite. Miro fait de même à ma gauche. Cassandre me fait signe de me pousser un peu et s'installe à côté de moi. Le siège rempli à ras bord et plus encore, Mathieu choisit de s'asseoir au sol, devant nous, en s'adossant contre les jambes de Cassandre.

Jean-Michel se place un instant devant l'écran pour souhaiter une très bonne soirée cinéma à la soixantaine de personnes réunies, puis il retourne derrière son ordinateur et son projecteur pour démarrer le film. Les premières minutes sont assez convaincantes. Le chien est sympathique et les comédiens portent des vêtements d'une autre époque, ce qui m'amuse beaucoup.

Une vingtaine de minutes après le début de la projection, la tête de Cassandre vient s'accoter contre mon épaule. Heureusement que la pénombre s'est bien installée, parce que je me sens rougir comme une fraise bien mûre! Je l'aime bien, Cassandre, et je la trouve plutôt mignonne, mais, euh… eh bien… jamais je ne penserais à… hum… Et chez moi, il y a Marie-Maxime, qui n'est qu'une amie, mais… bon… Tout à coup, un léger ronflement permet à mon cœur de reprendre son rythme normal et à mon visage de retrouver sa teinte beige naturelle : Cassandre s'est endormie ! Voilà pourquoi sa tête est retombée sur mon épaule ! **OUF !** Je respire beaucoup mieux. Je la laisse garder cette position. Tant qu'elle ne bave pas, ça ne me dérange pas vraiment, au fond.

Parlant de bave, sur l'écran, le chien s'ébroue et en envoie partout. Soudain, la bête fige moins d'une seconde et est remplacée par une image floue. On dirait le lac et une silhouette. Rien à voir avec le film… Bizarre… Tout le monde autour se met à chuchoter. Seule Cassandre ne

remue pas, toujours profondément endormie. La suite se déroule très vite : l'image se précise, la silhouette se retourne pour nous faire face. C'est un homme habillé de vêtements beaucoup plus anciens que ceux des acteurs du film. Il court vers nous, l'air en colère. Il s'approche tant de la caméra que, lorsque l'image fige de nouveau, on ne voit à peu près plus que ses narines. Le gros chien du film revient, mais plus rien n'est pareil. Autour de moi, plusieurs personnes crient, **TOUT LE MONDE S'AGITE**. Je ne saisis pas ce qui vient de se produire, mais j'ai l'estomac serré, le sang glacé dans mes veines et les jambes aussi molles que de la barbe à papa. Miro explique, d'une voix faible :

— C'était le maire Plourde!

Ses mots me provoquent un flot d'adrénaline foudroyant. Je me soulève d'un bond, réveillant Cassandre. J'enjambe difficilement Mathieu devant moi. Mes amis ne comprennent pas quelle mouche m'a piqué. Je n'ai plus qu'une intention: mettre les choses au clair avec Jean-Michel. Autour de moi, les gens se lèvent et marchent dans tous les sens. Personne n'a plus d'intérêt pour le film. Les habitants du village et les touristes essaient de se réconforter les uns les autres. Je cherche parmi eux le fils du propriétaire. Il est **INTROUVABLE!** A-t-il profité de ce moment d'agitation pour retourner à l'auberge? Pourquoi a-t-il voulu terroriser tous ces gens, ce soir?

Alors que mes yeux s'habituent à la noirceur, je remarque quelqu'un qui s'éloigne à la course. C'est Jean-Michel, j'en suis certain! Mes amis, croyant que je fuis parce que je suis effrayé, me crient de ne pas m'en faire, de revenir. Je les ignore et je poursuis ma cible, qui file vers le village.

Il a pris une bonne avance, mais je suis rapide. Si seulement je pouvais arriver à combler l'écart! Mais j'y pense… quand je l'aurai rejoint, qu'est-ce que je pourrai faire? Je cours peut-être plus vite que lui, mais il est probablement plus fort que moi. Ah! Si seulement ma mère avait plutôt décidé de regarder le film de chien avec moi! Ça ne fait rien. Mon instinct me dicte de continuer ma poursuite. Je verrai bien en temps et lieu…

195

Jean-Michel atteint le sommet de la colline où se situe le cœur du village et je ne suis qu'à quelques mètres de lui. Il jette un coup d'œil derrière lui et il remarque ma présence pour la première fois. Je le sens se raidir. Il bifurque alors pour se faufiler dans un boisé. Je ne connais pas cette partie de la forêt et j'hésite une seconde. Mais mes jambes semblent bouger toutes seules! Je continue donc ma course effrénée. Je perds Jean-Michel de vue quand il s'engage dans le sentier. J'espère que je saurai le retrouver!

Tout à coup résonne un grand **CRAC!** suivi d'un **« Outch! »**. Sans ralentir, j'avance à mon tour. Je ne vois rien à plus de deux centimètres de mon nez. J'entends un étrange râle.

Comme un grognement pas du tout rassurant ! Je pense alors à ma mère, qui me parle souvent de ses «risques calculés». En ce moment, mon risque n'est pas du tout calculé! Mettre la main au collet de Jean-Michel n'est peut-être pas si urgent, tout compte fait ! Après ce qui me semble des heures, je retrouve l'usage de mes jambes. Je recule lentement. D'un pas, puis de deux… Soudain, quelque chose s'agrippe à ma cheville ! AH ! Le râle devient plus fort. Puis il se transforme en voix.

—Jacob !

C'est Jean-Michel. Mais je ne suis pas rassuré pour autant. Est-il armé ? J'essaie de me dégager de sa prise, sans succès.

— Jacob, j'ai besoin d'aide !

Je soupçonne encore qu'il me tend un piège. Mais son ton me fait plutôt croire qu'il est réellement blessé. Je me rapproche donc doucement, dans le noir le plus total.

— Ici, m'indique Jean-Michel.

Je tends un bras vers le son de sa voix, il finit par l'attraper. Je l'aide à se soulever et nous sortons du sentier.

Jean-Michel s'est fait une vilaine entorse à la cheville. Je l'ai donc soutenu jusqu'à l'auberge. Je trouve la situation ridicule, mais aussi un peu drôle, puisque je sens le fils Sanchagrin épouvantablement gêné d'avoir eu besoin de mon aide, alors qu'il me déteste tant.

En nous voyant entrer, Régine Sanchagrin et ma mère ont toutes les deux accouru, curieuses. Maman contourne les machines ressemblant à de grosses caméras sur trépied, que monsieur McCain a installées devant le comptoir.

—Venez dans le bureau, nous serons plus tranquilles, propose la propriétaire.

Je raconte ma version des faits. Étrangement, ni l'une ni l'autre n'était au courant de l'apparition du maire Plourde dans le film. Jean-Michel s'empresse de démentir mon histoire.

—Je n'ai **JAMAIS** ajouté ces images au film! C'est complètement **FAUX**!

—Si ce n'est pas toi, qui c'est? Tu étais pourtant aux commandes de cette projection! Et pourquoi te sauvais-tu?

Il hésite. Près de moi, ma mère sourit. Il faut croire que je suis doté de ses talents d'interrogatrice! Je vais TOUT lui faire avouer, je le sens! Et cette sensation est très électrisante! Je comprends maintenant pourquoi maman, quand elle n'a pas d'enquête à mener, finit par m'interroger pour tout et pour rien!

Régine insiste à son tour :

—Mais oui, Jean-Michou, qu'est-ce que c'est que tous ces mystères?

Il grimace. J'ai du mal à deviner si c'est à cause de sa cheville, de la pression que nous mettons sur lui ou du « Jean-Michou » prononcé par Régine Sanchagrin. Il soupire ensuite avant de se lancer :

—**CE N'EST PAS MOI!** Je vous le jure. Et si je me suis sauvé… J'ai vraiment **HONTE** de le dire! C'est… parce que j'ai eu peur.

Je m'esclaffe, mais je reprends mon sérieux, en attendant qu'il continue ses explications.

—Avoue que c'est toi, maman, qui cause toutes ces supposées apparitions de fantômes dans l'auberge et les changements dans le tableau pour attirer les touristes, les journalistes et les spécialistes en esprits. Mais en voyant le montage vidéo, j'ai compris que quelqu'un d'autre connaissait notre secret. Et que cette personne essayait de nous faire savoir qu'elle savait… Jamais tu n'aurais pu créer un montage aussi parfait, toi qui as du mal à manier une souris d'ordinateur!

Régine Sanchagrin est figée, comme la serveuse dans le tableau du maire disparu, celle qui ne semble jamais vraiment remuer. Quelques secondes plus tard, elle se met à trembler. Elle parvient à prononcer:

—Tu es en train de me dire que… les meubles qui bougent, les portes qui claquent, le tableau qui se transforme, **CE N'EST PAS TOI?**

—Mais non! C'est **TOI!** Tu ne me l'as jamais dit, mais tous ces clins d'œil… Oh mon Dieu! Tu pensais que c'était **MOİ**! Alors…

—Alors il y a un **VRAI** fantôme ?

Leur peur est communicative. Je me mets à croire, moi aussi, que cette légende de fantôme de maire n'est peut-être pas une histoire à dormir debout! Ma mère essaie de rassurer les Sanchagrin, mais je sens bien qu'elle est inquiète aussi… Ce soir, nous perdons notre principal suspect et, du même coup, toutes nos meilleures pistes!

AU FEU ? AUX FEUX !

Le lendemain matin, je sors de l'auberge à la première heure. J'ai volé un croissant au restaurant. J'en prends quelques bouchées, mais je compte surtout l'utiliser pour éloigner les oiseaux de moi, en haut de l'observatoire. J'ai une petite crainte d'y monter, maintenant que je ne suis plus sûr de rien. Mais j'ai vraiment envie de parler à Axel !

Moi

T'es là ?

205

Personne ne répond. Je regarde autour, un goéland se pose sur le rebord. Je lance le croissant plus loin. On dirait qu'il me sourit. Un «ding» ramène mon attention à l'écran.

Axel

Salut ! J'ai cherché d'autres articles, comme tu me l'as demandé la dernière fois. Rien trouvé !

Moi

Bizarre… Et c'est fou, ici ! J'ai hâte de te raconter ! Trop long par texto !

Axel

Vous revenez quand ?

Moi

Dans 3 jours.

Axel

Axel

En attendant, une autre mission
pour moi ?

Moi

Peut-être.

Moi

Peux-tu voir ce que tu peux trouver
sur Gary McCain et un M. Groulx
(sais pas son prénom) ?

Axel

Dac. 2 minutes…

Pendant qu'il cherche, je me relève
juste assez pour observer ce qui se

passe en bas sans être aperçu. La rue principale du village est plutôt tranquille. Un couple de personnes âgées sort de l'épicerie. L'homme et la femme paraissent tous les deux préoccupés. Ils regardent à gauche et à droite avant d'oser avancer sur le trottoir. Plus loin, une mère tire son fils pour qu'il marche plus vite. C'est probablement l'apparition fantomatique d'hier qui crée cette nervosité.

Séléna sort de l'une des seules rues résidentielles du village. Elle a le même air stressé que les autres. Elle porte son uniforme de l'auberge et elle tient dans ses mains un long rouleau. Je me demande bien ce qu'il contient…

DiNG !

Axel

J'ai trouvé un site Internet: pères du paranormal. Je te copie l'info: «Nous, Gary McCain et Clément Groulx, sommes la solution à vos problèmes de fantômes! Nous avons l'expérience et les connaissances pour chasser les esprits qui habitent votre maison! Pour plus d'information, écrivez-nous!»

Moi

Rien d'autre?

Axel

Une photo de deux gars avec une caméra bizarre. Une adresse courriel et c'est tout. Même pas de numéro de téléphone.

Au moment où je m'apprête à écrire à quel point je trouve ça louche, j'entends hurler en bas. Un son de panique qui me fait penser à l'apparition du maire dans le film. Avant de regarder vers la rue, je comprends. Et je panique aussi. Il y a **UN INCENDIE DANS L'ESCALIER !** Je suis complètement coincé ici ! Je me lève et je m'approche du bord, en criant et en faisant de grands signes avec les bras.

—AU SECOURS ! JE SUIS EN HAUT !

Des gens courent dans tous les sens armés de seaux. Mais ils se dirigent vers l'épicerie !

—ICI ! VITE ! ICI !

Personne ne fait attention à moi! Je comprends alors qu'un autre incendie fait rage dans le commerce. **JE SUIS FiCHU!** Avec toute cette agitation, personne ne m'entend!

La sirène d'un camion de pompier me donne un peu d'espoir. Mais ils sauveront sûrement l'épicerie avant l'observatoire, non? Eh bien non! Les secours se dirigent plutôt… vers l'auberge!

Mon téléphone semble être ma seule porte de sortie.

Moi

Axel! Y a un feu! Suis coincé! Appelle… n'importe qui au village! Vite!

Axel

Moi

J'imagine Axel paniquer à des kilo-
mètres d'ici. Je le comprends. En
plus, il n'est pas toujours très efficace quand vient le temps d'être…
efficace, justement. Les flammes
montent et montent. Je sens la struc-
ture s'affaiblir sous mes pieds. Alors
que je crois vivre les dernières minutes
de mon existence, une échelle apparaît à ma gauche, là où le goéland a
abandonné le morceau de croissant.
J'enjambe vite la balustrade et je descends les barreaux le plus rapidement
possible sans glisser et m'écraser au sol.

Une fois les deux pieds par terre, je n'ai pas le temps de réfléchir. Une main me tire plus loin, quelques secondes avant que la tour d'observation s'écroule. Je ne suis jamais passé aussi près de mourir de toute ma vie! Je me retourne pour voir mon sauveur. Il s'agit de Séléna! J'imagine qu'elle m'a remarqué, juste avant que l'escalier s'enflamme.

Je n'ai pas le temps de la remercier, car elle se sauve en courant, probablement en retard pour son travail. Je la trouve un peu étrange. Après tout, vu les circonstances, Régine et Jean-Michel auraient compris qu'elle arrive avec dix minutes de retard! Mais je ne me lance pas à sa suite. Je m'assois plutôt sur les marches devant l'église. Les pompiers re-montent, puis arrosent les flammes qui finissent la destruction de l'obser-vatoire. L'incendie de l'épicerie était mineur et il a vite été maîtrisé grâce à un extincteur.

Oh ! Zut ! Je ne pourrai pas réécrire à Axel maintenant ! Le pauvre doit être affolé ! Je comprends que mon très grand ami a fait exactement ce que je lui ai demandé en voyant ma mère arriver à bord de sa voiture. Elle gare le véhicule en plein milieu du chemin, en sort et me serre très fort dans ses bras.

—Axel a appelé à l'auberge ! Il disait que tu étais en **DANGER !**

Je m'en veux d'avoir douté de lui. Ma mère ajoute :

—Il se passe quelque chose, Jacob ! Il y a eu un nouveau feu dans la zone du spa, à l'auberge, et dans une chaloupe abandonnée près du lac.

—Quatre feux en même temps ?

—Oui ! Je me demande ce que ça signifie…

Ça me paraît soudain évident :

—Ce sont quatre lieux en lien avec des légendes !

Quelques heures plus tard, une odeur de fumée flotte encore dans le village.

À mon retour à l'auberge, je croise plusieurs visiteurs qui ont décidé de rentrer chez eux. Je les comprends un peu, mais il n'est pas question que maman et moi quittions le village avant de conclure cette enquête! Jean-Michel et Régine Sanchagrin semblent peinés de voir tous ces touristes partir. D'autres, cependant, choisissent de rester. Après tout, seule la partie des soins de santé a été endommagée et les courants d'air ont vite chassé l'odeur de fumée dans les chambres. Pour remercier les courageux, la propriétaire promet mille petites attentions! Depuis les derniers événements et nos dernières découvertes, je les trouve beaucoup plus sympathiques, cette chouette et son fiston!

Alors que madame Sanchagrin nous tend un coupon pour un repas gratuit, à ma mère et moi, monsieur Groulx s'avance au comptoir de l'accueil.

—Régine, nous commencerons la réunion **D'URGENCE** dans le restaurant dans dix minutes.

Elle le remercie, pendant que maman et moi échangeons un regard. Nous devons absolument savoir ce qui se dira lors de cette réunion! Maman me fait signe de monter à la chambre en chuchotant:

—Je te rejoins tout de suite!

Je préférerais traîner dans le coin et me trouver une façon de tout entendre. Grâce à une fenêtre entrouverte, par exemple. Je sens par contre que je dois lui faire confiance.

Quand elle entre dans notre suite à son tour, je propose de redescendre, en expliquant mon plan un peu flou. Mais ma mère n'est pas enquêteuse pour rien…

—Ton idée n'est pas mauvaise, Jack, mais j'ai mieux…

Elle sort alors de la poche de sa veste un émetteur-récepteur portatif portant le logo de l'auberge.

—Tu l'as… volé?

—Mais non! C'est Jean-Michel qui me l'a prêté. Il a appris que j'étais enquêteuse et a demandé mon aide, car il veut connaître les détails de la réunion. Comme sa mère ne le laisse pas y assister, il a caché un émetteur dans le restaurant et m'a remis le récepteur pour que je puisse poursuivre notre...

—Le mot que tu cherches et qu'on ne prononcera pas devant ton patron, c'est « **ENQUÊTE** ».

—Oui, notre enquête..., murmure-t-elle avec un air de gamine prise la main dans le sac.

Durant les minutes qui suivent, nous espionnons ce qui se passe un étage plus bas. Si j'arrive à bien reconnaître toutes les voix, à cette réunion nous retrouvons : Régine Sanchagrin, Clément Groulx, Gary McCain, le maire actuel de Lac-aux-Galets, Roger Villemure, et la propriétaire de l'épicerie, Ginette Genois.

Je note toutes les informations que je trouve intéressantes.

*Les spécialistes du paranormal (les pères du paranormal, les papas du paranormal, les papanormal...) avancent dans leurs recherches. Beaucoup d'ondes captées près du tableau. Des ondes grises, menaçantes. Maire Plourde ? Peut-être, mais le maire n'est pas intimidant, d'habitude.

*Autres incendies à prévoir ? Peut-être, difficile à dire. Ce n'est pas un hasard si les feux ont eu lieu à ces endroits précis. Il faudrait éloigner les habitants de ces lieux. Le maire se demande comment on peut éloigner les gens de l'épicerie. Peut-être créer un comptoir alimentaire d'urgence dans l'église? Le maire est d'accord. La propriétaire apeurée aussi.

*Monsieur Groulx suggère de fermer l'auberge, le temps de comprendre ce qui se passe. Madame Sanchagrin refuse. Elle n'a jamais fermé et ne fermera jamais. De toute façon, presque tout le monde est parti! Monsieur McCain croit qu'il faudrait au moins mettre un périmètre de sécurité autour du tableau. Madame Sanchagrin accepte.

Une fois la réunion terminée, ma mère tire les conclusions suivantes :

— Groulx et McCain sont clairement **LOUCHES.** Quoi qu'il se passe, l'épicerie, le lac et l'auberge sont des endroits clés. Et ils ne veulent surtout pas qu'on traîne près du tableau !

QUELLE HEURE EST-IL ?

Les clés du mystère se trouvent dans le tableau, ma mère et moi en sommes plus convaincus que jamais. Pendant que maman va discrètement faire son rapport à Jean-Michel et lui redonner l'émetteur-récepteur, je sors son téléphone et le mien pour comparer les photographies de la scène illustrée que nous avons prises à différents moments. Le décor est toujours parfaitement identique. Seuls les personnages à l'avant-plan bougent. Si quelqu'un reproduit les toiles chaque soir, c'est le travail d'un très grand professionnel! Un artiste comme celui-là pourrait gagner des millions grâce à ses propres œuvres! Pourquoi, alors, se contenterait-il de copier encore et encore la même œuvre? Étrange.

Je scrute les moindres détails. Les gestes des personnages. La position des verres de bière sur la table. Aucun indice ne me semble évident. Pourquoi n'y a-t-il que les éléments à l'avant qui changent? Probablement parce qu'il est plus facile pour le copiste de reproduire seulement l'avant. Il peut peut-être reprendre les mêmes toiles d'une journée à l'autre. Ou plutôt d'une nuit à l'autre. Oui, vraisem-blablement, la personne qui remplace les toiles le fait quand toute l'auberge est endormie. Est-ce qu'il s'agirait donc de l'employé à la réception ? Pas nécessairement. Il semble avoir l'habitude de dormir profondément à son comptoir !

Maman revient, en chuchotant :

—Jean-Michel est **inquiet.** Et je le comprends un peu !

Je dis, aussi bas que ma mère :

—Pourquoi on chuchote ?

—Jean-Michel m'a dit que monsieur Groulx a voulu changer de chambre depuis que plusieurs touristes sont partis. Comme par hasard, il est maintenant…

Elle pointe le mur qui nous sépare de la suite voisine.

—On devrait peut-être discuter ailleurs ?

—Il y a des oreilles partout, de toute façon…, réplique maman.

Eh bien ! La fin de notre séjour sera… silencieuse ! Nous ne prononçons donc pas un mot en comparant les images que nous avons des tableaux. Mes yeux tombent chaque fois sur les mêmes détails. Je sens que je tourne en rond, que ça ne sert **À RIEN !** Je pousse un profond soupir.

—Dans chaque enquête, on passe par un moment de désespoir. Ou plus. Très souvent, la réponse à nos questions jaillit juste après, m'encourage ma mère.

Juste après… hein ? Dans **TROIS HEURES ? TROIS JOURS ? TROIS SEMAINES ?** Tiens, en parlant de temps… je remarque un détail qui m'avait échappé jusqu'ici. Près de la serveuse se trouve une vieille horloge. Mon pouce fait glisser l'image sur mon téléphone pour qu'il passe à une suivante. L'heure n'est plus la même ! Je me trompais ! Certains éléments changent donc aussi en arrière-plan !

Je donne un coup de coude à ma mère pour attirer son attention et je pointe l'horloge. Elle examine les images de son côté et nous en venons à la même conclusion :

— Les aiguilles indiquent toujours des moments entre cinq heures et neuf heures. Ou entre dix-sept heures et vingt et une heures, chuchote mon acolyte.

—Un hasard? Je ne croirais pas!

—Bien joué, Jacob! Et maintenant, reste à voir ce que ça représente.

—L'heure à laquelle la nouvelle toile est placée? Ce serait surprenant, il y a trop d'animation dans le hall à ces moments-là.

Ma mère acquiesce d'un signe de tête. Elle scrute la dernière photo qu'elle a prise, juste avant la réunion tout à l'heure. Sur cette version du tableau, il est cinq heures, du matin ou du soir, nous ne le savons pas pour l'instant. Mon téléphone m'informe qu'il est seize heures. Il suffira d'être attentif aux événements qui pourraient avoir lieu dans environ 60 minutes. Facile à dire… Bientôt, nous verrons si ce sera aussi facile à faire.

Maman et moi décidons de nous poster sur la terrasse devant l'auberge, en prétendant vouloir nous détendre un peu. Nous buvons les délicieuses limonades maison – avec une paille en tourbillon, en plus – que nous offre gracieusement Régine Sanchagrin. Elle est si contente que nous ne nous soyons pas sauvés en courant qu'elle nous traite avec le plus grand soin! Je tente d'avoir l'air tout à fait relax, mais, à l'intérieur de moi, **JE BOUILLONNE!** Je sens qu'enfin nous sommes sur une vraie de vraie piste! C'est tellement **excitant…** et un peu inquiétant.

On ne sait pas du tout ce qui nous pend au bout du nez! Alors qu'on croyait au départ avoir affaire à une propriétaire d'auberge et son fils qui essaient d'attirer des clients d'une drôle de manière, nous naviguons maintenant dans le noir.

Ma mère fait semblant de lire son roman policier. Au moins, cette fois-ci, elle tourne les pages de temps à autre! À l'instant où j'aspire ma dernière gorgée de limonade, Clément Groulx et le journaliste sortent de l'auberge. Ils nous saluent de la main, comme si de rien n'était. **ILS SONT LOUCHES...** À moins que, vu les circonstances, je me mette à trouver tout le monde suspect? Je ne crois pas! Surtout en regardant discrètement sur mon téléphone pour constater qu'il est exactement seize heures cinquante. Quelqu'un qui aurait rendez-vous à dix-sept heures quelque part au village ne partirait-il pas à cet instant précis?

Sans même nous consulter, ma mère et moi les laissons disparaître de notre champ de vision, alors qu'ils contournent l'auberge, puis nous nous levons d'un bond. Elle fait planer son roman jusqu'à sa chaise et nous nous lançons à la poursuite de cet étrange père du paranormal et du journaliste. En nous approchant de l'arrière du bâtiment, nous entendons des voix. Celles de Clément Groulx et du journaliste, mais aussi celle de Gary McCain. Nous restons dissimulés derrière deux gros arbres et tentons d'écouter leur conversation.

—PERSONNE NE T'A VU ?

demande McCain.

—Seulement la femme et son gamin. Je ne penserais pas qu'ils nous suivent, répond le journaliste.

—Je les trouve soupçonneux, ces deux-là… Pas mal plus que les Sanchagrin sans génie ! réplique Groulx.

—Ne t'en fais pas ! Au pire, on allumera un autre feu pour les faire fuir. Directement dans leur chambre, peut-être ? C'est l'heure ! Il faut y aller. Le vieux déteste qu'on soit en retard ! menace McCain.

Le regard de ma mère est aussi inquiet qu'intéressé. Maintenant, c'est clair :

le tableau sert en fait à donner des rendez-vous! Par qui? Et pourquoi? C'est ce que nous saurons dans quelques minutes! Des millions de papillons me chatouillent l'estomac. Nous attendons que les deux vilains s'éloignent un peu. Lorsqu'ils sont hors de portée de nos chuchotements, maman dit tout bas:

—Je préférerais que tu restes ici. Ce sera peut-être plus dangereux qu'on le pense...

—Il n'en est pas question! C'est moi qui ai résolu l'énigme de l'horloge du tableau, j'ai le droit de participer à la suite!

Ma mère soupire.

—Tu as bien la tête de cochon de ton père, toi!

Je m'esclaffe. Elle sait aussi bien que moi que ma tête dure, je l'ai héritée d'elle! Elle change de sujet:

—Ils montent au village, **C'EST CLAIR!** Mais on ne pourra pas les filer sans qu'ils nous remarquent.

—Je connais un autre chemin!

Je veux l'entraîner vers la route un peu plus longue et plus boisée que j'avais empruntée en sens inverse pour rejoindre mes amis à l'auberge, il y a quelques jours. Mais avant même de nous diriger vers le sentier, nous voyons approcher Séléna.

—Allô, vous deux! Ça va ? Pas trop **peur** des fantômes?

Maman arrive à répondre avec un ton léger, comme si nous faisions une simple petite marche de santé.

—Ça va, ça va! On n'est pas tellement peureux, tous les deux. Et toi?

—C'est… correct. Les feux m'inquiètent, par contre.

—Oui. Les incendies sont plutôt troublants, c'est vrai.

J'aimerais brasser ma mère un peu, lui rappeler que nous avons une mission, que nous devons bouger maintenant. Mais elle continue calmement sa conversation. C'est même Séléna qui y met fin. Elle regarde sa montre et s'excuse :

—Il faut **vraiment** que j'y aille !

Elle poursuit son chemin vers l'entrée arrière de l'auberge. Je fixe ma mère avec les yeux ronds.

—On ne peut faire confiance à personne, Jacob ! On doit avoir l'air le plus normal possible !

—Ce n'est pas une raison pour…

Elle me coupe la parole :

—Mais maintenant, pas le temps de prendre le plus long trajet ! On court par la route directe ! **GO !**

Ma mère part avant moi, mais j'arrive à la dépasser. Je suis tellement chargé d'adrénaline que je gagnerais la course contre n'importe quel athlète olympique en ce moment! Malheureusement, c'est trop tard. Nous nous arrêtons devant ce qu'il reste de la tour d'observation. Les deux faux spécialistes du paranormal ne sont nulle part en vue. Et quand nous interrogeons les rares passants, ils nous répondent qu'ils n'ont remarqué personne. Zut!

D'INTRIGANTS SYMBOLES

Je n'arrive pas à m'endormir. On dirait que, dans mon lit, tout devient plus inquiétant. Et avec ce Gary McCain et ses envies d'allumer un incendie dans notre chambre, tout près… Ma mère peut me protéger, c'est certain, mais ici elle n'est pas armée ! D'ailleurs, je l'entends **RONFLER**, de l'autre côté de la porte coulissante. Elle ne connaît pas la peur, celle-là !

Tant qu'à ne pas dormir, j'essaie de me rendre utile. Je saisis mon télé-phone et j'observe de nouveau les photos du tableau. Cette fois-ci, par contre, j'ignore les deux personnages masculins, sachant qu'ils ne sont là que pour distraire notre regard. Tout à coup, je remarque un autre détail qui m'avait échappé avant. Dans sa main, la serveuse tient une chope de bière. Sur certaines images, ce gros verre porte un symbole. Je zoome. La qualité de ma photo n'est pas géniale, mais je réussis quand même à reconnaître un rectangle collé à un ovale. Sur une autre, c'est plutôt un ovale et un cercle. Je remarque aussi une ligne ondulée et une croix.

C'est évident qu'on a là un autre indice ! Je ne suis pas assez patient pour attendre à demain matin. Je cours jusqu'au lit de ma mère et je lui tapote l'épaule pour la réveiller. **MAUVAIS PLAN!** Ma mère a des réflexes d'enfer, toujours aux aguets. Sa main rejoint aussitôt mon front dans une claque sonore et douloureuse. **OUCH!** Elle sort complètement du sommeil, se relève dans son lit et s'excuse à mille reprises.

—C'est correct, maman. J'aurais dû savoir que ce n'était pas une bonne idée.

—Tu avais une bonne raison, au moins?

Sur le coup, j'ai oublié pourquoi j'ai couru cet énorme risque. Puis ça me revient. Je lui montre alors les agrandissements des différents tableaux et les symboles qui apparaissent parfois sur le verre de bière.

—On tient quelque chose! C'est un message, **C'EST SÛR!** Ce n'est pas là pour rien…, chuchote-t-elle.

Mais ce que ça signifie, nous n'arrivons pas à le deviner. En tout cas, pas à deux heures du matin, le cerveau embrumé par la fatigue! Ma mère décide que le mieux pour le moment est de nous reposer, au moins jusqu'à ce que le soleil se lève.

Ce ne sont finalement pas les rayons du soleil qui me réveillent quelques heures plus tard, mais la voix de ma mère.

— **JAAAAAACOOOOOOB!** C'est l'heure de te lever! Il est déjà dix heures, paresseux!

242

DiX HEURES? Oh là là! Quand j'arrive enfin à ouvrir les yeux, je remarque que quelqu'un se tient à la porte de notre suite. Je sursaute, me rappelant soudain tous les dangers qui nous guettent! Ma mère pouffe de rire et précise:

—C'est Miro. Vos trois autres copains sont partis et il voulait savoir si tu avais envie d'aller en canot avec lui.

Hum… Une balade tranquille sur le lac ne me ferait certainement pas de tort! Je crie à Miro:

—Je te rejoins près de la plage dans dix minutes. D'accord?

—Parfait!

Cela me donnera le temps de m'habiller et de voler une chocolatine dans le buffet du restaurant! Juste avant de sortir de la chambre, je demande :

—Et toi, maman, as-tu des plans?

—Je vais probablement me balader dans la montagne…

Le clin d'œil qu'elle ajoute me laisse croire qu'elle a un appel à faire ou un message texte à envoyer. **À qui?** Dur à dire. Je connais ma mère, il ne sert à rien de la questionner. D'ailleurs, avec les oreilles indiscrètes qui peuvent se dissimuler derrière chaque mur de l'auberge, il vaut toujours mieux ne pas trop se confier. Je pars donc en ayant déjà hâte de savoir ce que maman rapportera du sommet de la montagne à Ferron!

Dans le hall, je remarque que le tableau a été caché par de grands panneaux de bois. Pas moyen de voir quelle heure indique l'horloge aujourd'hui, ni le symbole qui apparaît sur la chope de bière de la serveuse.

Je retrouve Miro au bord du lac. Il a emprunté un canot, des pagaies et des gilets de sauvetage. J'ai l'étrange impression d'abandonner ma mère dans son enquête. Mais elle devrait très bien s'en sortir pour les prochaines heures. Avec toute son expérience, je suis presque sûr qu'elle n'a pas toujours besoin de moi...

Le soleil brille encore, aujourd'hui. C'est comme si le mauvais temps avait oublié l'existence de Lac-aux-Galets! Je suis certain que les habitants ont une légende à ce sujet! Quelques pêcheurs taquinent le poisson, mais ils sont quand même moins nombreux qu'au début de la semaine. On dirait bien que les visiteurs n'ont pas seulement quitté l'Auberge du lac, ils ont aussi déserté toute la région. C'est bien dommage!

Miro et moi naviguons un bon moment, puis nous nous rendons sur la plage où se trouve la chaloupe qui a en grande partie brûlé en même temps que la tour d'observation. Miro a apporté un sac de bretzels et des morceaux de fromage, une collation que nous partageons assis sur un gros rocher.

—C'est triste que les touristes partent comme ça! dis-je.

—Oui, mais je les comprends! Même ma mère commence à penser à nous amener chez sa sœur, à Trois-Monts, le temps qu'on saisisse ce qui se passe. Je n'ai **PAS** le goût d'y aller!

—Je sens que ça va s'arranger très bientôt.

J'aimerais lui expliquer pourquoi je suis si confiant, mais j'hésite. Je me doute de plus en plus qu'on a affaire à des gens pas très doux et je n'ai pas envie de mettre Miro en danger! Je n'en dis donc pas plus. Et par chance, mon ami ne me pose pas d'autres questions.

Nous terminons notre collation en silence, puis nous rembarquons dans notre canot. Miro me montre un coin du lac marécageux, puis un coin un peu reculé qui mène à un chalet luxueux. La rumeur dit qu'il appartiendrait à une vedette de la télé. Quand les collations sont digérées et que nos estomacs exigent à nouveau d'être remplis, nous retournons vers la plage de l'Auberge du lac.

De loin, je distingue une silhouette qui fait de grands gestes avec les bras. Lorsque nous nous rapprochons, je reconnais Jean-Michel.

— Pourquoi fait-il l'épouvantail, celui-là? demande Miro.

Je ris de sa blague, mais au fond de moi je suis inquiet. Je sais bien que Jean-Michel veut attirer mon attention et j'ai peur de ce qu'il m'annoncera cette fois-ci! Nous n'avons pas encore mis un pied dans le sable, que le fils de la propriétaire nous rejoint et crie :

—Jacob ! Ta mère a eu un **accident** dans le sentier ! Rien de très grave, mais elle a dû aller à l'hôpital. Elle fait dire de rester avec Miro jusqu'à son retour et de ne pas faire de bêtises.

Des bêtises comme poursuivre l'enquête sans elle, j'imagine… Jean-Michel a beau m'assurer que sa vie n'est pas du tout en danger, je suis quand même inquiet. Ma mère a l'habitude d'être très dure avec son corps. Elle a réussi à dénouer une histoire de trafic d'animaux exotiques tout en souffrant d'une pneumonie. Malgré cela, elle était parvenue à rattraper l'un des voyous à la course ! Cette fois-ci, elle pourrait bien avoir quarante os cassés et continuer à dire que ce n'est pas grave! Et d'ailleurs, qu'est-il arrivé? Quelqu'un l'aurait-il poussée pour tenter de l'éliminer?

—Ça s'est passé dans la montagne à Ferron?

—Oui, dans un sentier. Je n'en sais pas plus, explique Jean-Michel. Oh! Et tandis que j'y pense, quelqu'un a laissé ça pour toi.

Il me tend une enveloppe. C'est probablement des directives de maman ou des explications un peu plus claires. Il vaut sûrement mieux que je sois le seul à voir ce qu'elle contient. Je la glisse dans la poche arrière de mes shorts et j'aide Miro et l'employée à replacer le canot ainsi que notre matériel nautique.

Quelques minutes plus tard, je profite de l'absence de Miro, parti aux toilettes, pour jeter un coup d'œil dans l'enveloppe.

On dirait bien l'information que je n'arrivais pas à voir sur le tableau ce matin! Comment ma mère a-t-elle fait pour l'apercevoir? Et d'ailleurs, pourquoi me fournit-elle ce renseignement, alors qu'elle ne veut pas que je poursuive l'enquête **sans elle?** À moins que cette enveloppe vienne d'une autre personne… Mais qui? Puis-je faire confiance à cette indication ou quelqu'un essaie-t-il de me mener sur une fausse piste?

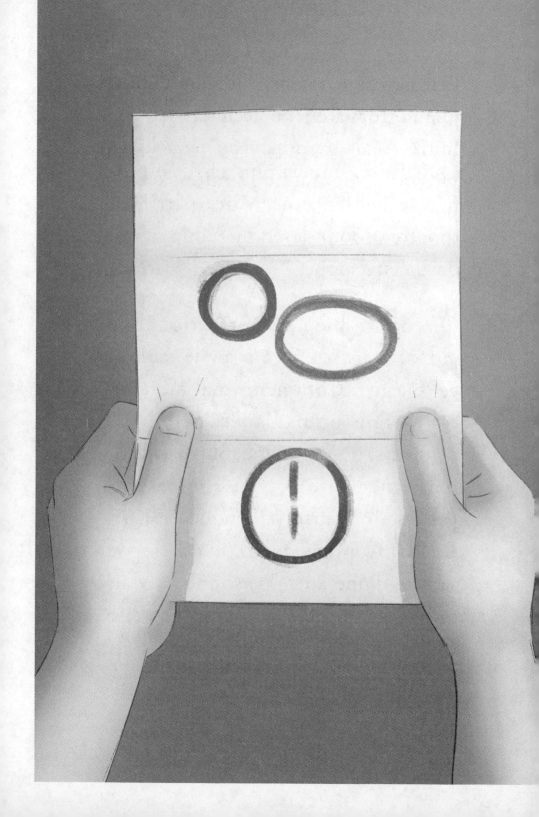

Quand Miro revient des toilettes, je m'efforce de ne rien laisser paraître. Mais mon cerveau réfléchit si vite qu'il me donne l'impression de bouillir!

UN ARTISTE, DES VOLEURS
ET DES DANGERS

Madame Sanchagrin, par pitié pour le pauvre presque orphelin que je suis, nous prépare, à Miro et moi, un succulent dîner de spaghettis. Tous essaient de garder l'ambiance légère, mais c'est difficile, avec les soi-disant experts du paranormal qui se promènent partout avec leurs appareils supposément à la fine pointe de la technologie. Je m'attends à ce qu'ils me surveillent du coin de l'œil, mais je comprends vite qu'ils ont laissé cette tâche au journaliste, qui fait semblant d'écrire ses faux articles sur son vrai ordinateur portable dans un coin du restaurant de l'auberge.

Malgré les blagues que nous échangeons, mon ami et moi, je ne pense qu'aux symboles. Je ne suis pas le meilleur comédien du monde, alors Miro finit par remarquer mon air un peu absent.

—Ça va, Jacob? Es-tu **inquiet** pour ta mère?

—Oui…

Ma réponse aurait pu être plus convaincante. Comme nous avons terminé notre repas, nous remercions madame Sanchagrin et j'entraîne Miro à l'extérieur. Ma mère ne serait sûrement pas d'accord avec ce que je m'apprête à faire, mais tant pis. Je vais raconter tout ce que je sais à mon ami. Après tout, il connaît les légendes mille fois mieux que moi, il pourra certainement m'aider! Nous montons ensemble la moitié de la pente menant à la rue principale. Il n'y a pas tellement d'arbres autour, personne ne peut donc nous épier sans qu'on s'en aperçoive. Je résume rapidement à Miro les grandes lignes de l'enquête et lui montre le message que j'ai reçu. Il est d'abord abasourdi. Puis il saisit le papier que je tiens en secouant la tête pour retrouver ses esprits.

—Mais pourquoi tout ça ne serait-il pas vraiment l'œuvre du fantôme du maire Plourde? Je n'y croyais pas trop avant, mais maintenant…

Je le fixe avec un air quelque peu découragé. Je ne lui ai pas donné assez de preuves ? Il se rend compte lui-même que sa naïveté est peut-être un peu trop grande et se reprend :

—Et on ne sait pas ce que ces faux spécialistes en fantômes veulent ?

—Pas encore. Tu n'aurais pas une petite idée ?

—Aucune.

—J'imagine qu'on sera informés assez vite, si on découvre qui m'a envoyé ce papier et ce qu'il signifie.

—Je suis presque certain de pouvoir répondre à une de tes questions. Les traits des signes ont été faits avec du pastel gras. Ma cousine en utilise souvent.

Séléna! Ce serait logique! Étant donné qu'elle travaille à l'auberge, elle a accès plus facilement au tableau, même s'il est caché. En sait-elle autant que ma mère, Miro et moi? Si c'est le cas, pourquoi n'a-t-elle jamais agi pour arrêter les malfaiteurs? À moins qu'elle nous ait espionnés. Elle a peut-être capté une partie de nos informations seulement... Ou bien quelqu'un essaie de nous faire croire que c'est Séléna qui m'a donné ce papier pour nous mettre en confiance. Je suis complètement perdu dans tout ça!

Plutôt que de nous concentrer sur le « QUI », nous nous penchons alors sur le « QUOI ». Je montre les autres symboles à Miro. Il me fait vite part de ses déductions:

— Cette ligne, ça ressemble à des vagues. Ça pourrait être le lac, non ?

— Peut-être.

— Et la croix, ça fait penser à l'église.

— Des lieux ! Mais oui ! Pourquoi on n'y a pas songé plus tôt ? Si l'horloge indique l'heure d'un rendez-vous, c'est tout à fait logique que le symbole représente un endroit !

— Mais ces deux signes-là, qu'est-ce qu'ils voudraient bien dire ? Et surtout l'ovale et le cercle...

Je hausse les épaules. Nous concluons alors que la meilleure façon de faire des liens, c'est d'aller dans la rue principale. Miro m'entraîne d'abord chez lui, où nous récupérons ses boules de pétanque. Nous aurons l'air beaucoup moins louches en jouant qu'en restant plantés au beau milieu de la route! Et comme l'espace de jeu est au cœur du village, nous pourrons observer les alentours tout en lançant nos boules.

Ma mère ne sera certainement pas d'accord avec moi, mais je trouve de plus en plus que j'ai bien fait d'inclure Miro dans notre enquête. Je lui ai fait mille fois promettre de ne rien répéter à Mathieu, Cassandre et Jessie, mais, de toute façon, mon petit doigt me dit que, dès le retour de ma mère, nous saurons résoudre les derniers **MYSTÈRES.** Et elle ne devrait pas tarder… j'espère!

—Jacob! C'est à ton tour!

—Oh! Désolé!

Je lance ma boule très loin du cochon-net. Je ne gagnerai pas cette partie, c'est certain! Mais ça ne me dérange pas trop. Encore une fois, ma cervelle s'est remise en marche, à **100 KILO-MÈTRES À L'HEURE!** Quatre sym-boles, quatre feux, à quatre endroits différents, liés à quatre légendes. La vague représente le lac, c'est assez clair. Mais pourquoi l'église?

La connexion se fait d'un coup dans ma tête. En une fraction de seconde, je laisse tomber une boule à deux cen-timètres de mon gros orteil et j'émets un grand **« OH! »**.

—Ça va, Jacob?

—La croix, ce n'est pas l'église! C'est l'observatoire!

Miro se frappe le front pour signifier qu'il aurait dû y penser avant, puis il poursuit dans la même logique.

—Donc le rectangle avec l'ovale et l'ovale avec le cercle seraient l'ancienne boucherie et l'auberge. Mais lequel est lequel?

—Le premier, ça pourrait être un bock de bière, avec l'anse. Et j'imagine que, si je voulais représenter un cochon grâce à deux formes, je le ferais comme ça! dis-je, en pointant la poche où j'ai mis le papier.

Si on récapitule, cela signifie qu'il y aura une rencontre des voleurs ou des tueurs ou des… enfin, des méchants, ce soir, à dix-huit heures à l'épicerie. Ce comptoir alimentaire de dépannage créé dans l'église en attendant que le **« MYSTÈRE »** de l'incendie soit éclairci était évidemment une manière de leur laisser le champ libre! Même la propriétaire de l'ancienne boucherie a été repoussée de son propre commerce! Ils sont futés…

Miro et moi sommes fous de joie d'avoir résolu cette énigme. Mais notre enthousiasme se fane assez vite. Sans ma mère, on ne peut rien faire. Mon ami propose d'appeler la police, mais j'hésite. Croira-t-on deux garçons de douze ans qui racontent une histoire aussi loufoque?

—De toute façon, les policiers des environs sont tous paresseux et un peu stupides. Tu as raison, il vaut mieux attendre ta mère.

Le problème, c'est que le temps file et que maman n'arrive pas. Nous raterons le rendez-vous! Et si c'était le dernier? Et si demain matin les supposés pères du paranormal et le faux journaliste s'en allaient? Rien ne serait réglé! On ne peut pas laisser passer une chance pareille de récupérer toutes les preuves dont on aura besoin pour les coincer!

Vers dix-sept heures quarante, ma mère n'a toujours pas donné signe de vie. Malgré la nervosité et cette petite voix dans ma tête qui nous trouve complètement fous, nous avertissons les parents de Miro qu'il soupera à l'auberge, puis nous nous cachons derrière les restes de l'observatoire calciné. Le village est tranquille, c'est l'heure à laquelle la grande majorité des habitants mangent. Quelques minutes plus tard, nous voyons apparaître un camion vert, qui se stationne près de l'épicerie.

Miro chuchote :

—**Bizarre,** c'est le camion de mon grand-père ! Il ne sort presque jamais de chez lui. D'ailleurs, il a toujours refusé de dépasser les frontières du village. Une autre légende, mais il est le seul à la connaître, celle-là.

Un homme d'environ soixante-dix ans descend du véhicule. Je le perds de vue alors qu'il se dirige vers l'arrière du camion. Une fourgonnette blanche s'arrête juste à côté du premier véhicule. Monsieur Groulx apparaît du côté passager et monsieur McCain, du côté conducteur. Ils disparaissent à leur tour derrière l'engin. Ils sont brillants! Les plus curieux du village penseront que la fourgonnette leur permet d'apporter leur matériel de **chasseurs de fantômes!**

—J'imagine qu'ils sont partis par la porte de derrière, conclut Miro.

Nous échangeons un regard. Oserons-nous aller les espionner? La vraie question est plutôt: avons-nous le choix? Je ne croirais pas, non! Miro a l'air bien décidé, en tout cas! Voir son grand-père accompagné des filous a dû le convaincre.

Nous avançons avec précaution vers l'épicerie. Je n'entends aucune voix. Tout le monde doit être à l'intérieur. Tout à coup, nous passons près d'une vitre illuminée qui donne sur un petit entrepôt au sous-sol. Nous nous couchons à plat ventre en vitesse pour ne pas être aperçus. Miro, plus téméraire que jamais, parvient à entrouvrir doucement la fenêtre. Nous arrivons alors à entendre la conversation.

—Vous me **PROMETTEZ** que ce sera la dernière fois? Je vous l'ai dit, je prends ma retraite! déclare le grand-père de Miro.

—On verra, le vieux, répond méchamment Groulx.

—Mes concitoyens sont complètement traumatisés par ces histoires de fantômes!

—Eh! Oh! Si tu acceptais de venir nous porter tes toiles en ville, on n'aurait pas à monter tous ces scénarios! Et ce n'est pas de notre faute s'ils sont assez zinzins pour croire à toutes ces légendes, hein! On s'est seulement servis de ces récits ridicules que vous racontiez déjà, nous! Il faut avouer qu'ils ont été bien utiles pour communiquer et éloigner les curieux! dit McCain en ricanant.

—Mais je te rassure, ce coup nous rendra millionnaires! Alors, où sont tes copies? demande Groulx.

Le papi de mon ami présente cinq longs rouleaux, rappelant celui que Séléna portait l'autre jour. Il en retire des toiles, qu'il déroule avec attention. Monsieur McCain siffle d'admiration et s'exclame :

—C'est du **BEAU BOULOT!** Tu es un artiste incroyable, le vieux !

Il sort une loupe et examine les détails de plus près. Les œuvres ressemblent à des tableaux célèbres qu'on retrouve dans les grands musées.

—Je ne savais même pas que mon grand-père peignait ! murmure Miro.

Si je comprends bien, le grand-père de Miro est un artiste peintre qui reproduit des toiles de grands maîtres. Il les vend ensuite à ses vilains clients. Qu'en feront-ils ? Difficile à dire, pour l'instant.

Soudain, mon ami sursaute. Avant que je regarde dans sa direction, je le sens se lever et je l'entends détaler en criant :

—COURS, JACOB !

Trop tard. Le faux journaliste m'attrape par le collet et me soulève de force. Il m'entraîne vers une porte, l'ouvre avec fracas et me fait descendre les quelques marches en me lançant presque en bas.

J'aurais tellement dû écouter ma mère et **« ne pas faire de bêtises »** !

Que m'arrivera-t-il? Je voudrais crier, mais aucun son ne sort de ma bouche. Comment vais-je m'en tirer, cette fois-ci? Miro! Miro ira chercher de l'aide!

— Regardez ce que je viens de trouver! Il était avec un copain, mais l'autre, je n'ai pas réussi à l'arrêter.

— Je m'en occupe! déclare McCain en quittant l'entrepôt.

Oh non! Faites que Miro se soit sauvé très, très loin! Pendant que Groulx me bâillonne et m'attache à un étalage rempli de boîtes de toutes sortes, le grand-père de mon ami tente de prendre ma défense:

—Messieurs! Franchement! Ce n'est qu'un enfant! Qu'allez-vous faire de lui?

Les deux autres hésitent. De toute façon, je ne suis pas sûr d'avoir envie d'entendre la réponse. Est-ce que je survivrai à cette aventure? J'en suis de moins en moins certain!

16

AU REVOIR, LAC-AUX-GALETS !

Les membres de ce réseau de faux tableaux s'activent. Ils remettent des billets de banque au grand-père de Miro et, après avoir comparé les toiles du faussaire avec une photo des originaux, ils remballent le tout en vitesse. De temps à autre, ils jettent vers moi un regard noir et menaçant. Les minutes passent et McCain ne revient pas. J'imagine que c'est bon signe, que Miro est parvenu à s'échapper et qu'il réapparaîtra avec de l'aide !

Je m'accroche très fort à cette pensée… Jusqu'à ce que la porte s'ouvre et que mon copain soit poussé à mes côtés. C'est fini. Nous sommes tous les deux foutus.

—Miro! **NON!** Laissez-les partir! supplie le vieil homme.

Les autres émettent un rire méchant. La main de mon ami réussit à rejoindre la mienne. Nous nous tenons pour nous donner plus de courage. Au bout d'une demi-heure, tout est prêt à être embarqué dans la fourgonnette, mais les vilains ne savent toujours pas quoi faire de nous.

Soudain, trois coups se font entendre. Les complices se regardent, l'air nerveux. Miro, lui, me fait un clin d'œil en douce. Comme personne ne va ouvrir la porte, quelqu'un le fait de l'extérieur. Trois policiers font irruption, leur arme pointée vers les malfaiteurs. Dans l'encadrement de la porte se trouve ma mère, le bras soutenu par une attelle. Mon **ÉNORME** soulagement s'estompe un peu ; me voilà dans le pétrin jusqu'au cou !

Les policiers ont arrêté les deux prétendus chasseurs de fantômes, le faux journaliste et l'artiste. Le grand-père de Miro a vite été relâché, après avoir promis qu'il ne quitterait pas le village, ce qu'il n'a jamais fait de sa vie de toute manière. La lumière a été faite sur toute cette histoire, en grande partie grâce à l'artiste faussaire, mais aussi grâce à sa petite-fille, Séléna, qui était également impliquée.

Le plan était simple : monsieur Turcotte (le grand-père de Miro et de Séléna) peignait des copies parfaites de tableaux célèbres valant une fortune. Les malfaiteurs venaient récupérer les œuvres lorsqu'elles étaient prêtes, puis allaient voler les vraies dans les musées, les remplaçant par les répliques. Ils vendaient les originaux à des amateurs d'art milliardaires et sans scrupule. Jamais ils ne s'étaient encore fait prendre. C'est pourquoi, cette fois-ci, ils préparaient un **GRAND COUP :** subtiliser **cinq œuvres** en même temps !

Le vieil artiste prodige créait également-ment les tableaux du maire Plourde et de ses camarades pour entretenir la légende du fantôme. C'est Séléna qui était chargée de remplacer les toiles, au petit matin.

En apprenant cette information, je demande :

—Pourquoi nous as-tu aidés, si tu avais un lien dans cette histoire ?

—Je savais que grand-papa voulait arrêter. Et moi aussi, j'en avais assez. Quand j'ai eu vent que ta mère était enquêteuse, je me suis dit que c'était ma chance. Je t'ai redonné ton téléphone en espérant que tu penses à prendre des photos. Pour les allumettes dans votre chambre, je suis désolée, c'était un ordre de Groulx…

—Ça va. Et j'imagine que les faussaires se servaient de la tour d'observation pour communiquer aussi, non ?

—Tu as tout compris.

—Et c'est bien toi qui m'as indiqué ce qui apparaissait sur le tableau aujourd'hui…

—Exact.

Tout ça en plus de m'avoir sauvé la vie en haut de l'observatoire. C'est **vraiment** une chouette fille, cette Séléna ! Et que dire de son cousin, qui a très vite retrouvé ma mère, de retour au village avec son poignet cassé (un souvenir d'une chute toute bête dans le sentier). Celle-ci a aussitôt alerté les autorités, pendant que Miro se faisait attraper volontairement par monsieur Groulx.

Les villageois étaient rassurés de savoir qu'aucun fantôme ne les menaçait. Ils ont cependant décidé de garder bien vivantes les légendes de Lac-aux-Galets et même d'en ajouter une, autour des voleurs de tableaux !

Alors que ma mère et moi plaçons nos bagages dans la voiture, plusieurs personnes nous entourent pour nous saluer et nous remercier : madame Sanchagrin, son fils, Séléna, Miro, Mathieu, Jessie et Cassandre. Nous leur promettons de revenir l'an prochain !

En route vers la maison, je ne sais toujours pas quelle sera ma punition pour avoir pris de si gros risques pendant que ma mère était à l'hôpital. Je préfère ne pas lui poser la question et profiter du réseau capté par mon téléphone cellulaire pour raconter la fin de l'histoire à Axel.

Axel

> C'est COMPLÈTEMENT FOU !
> Dis-moi que tu ne remettras plus jamais les pieds là !

Moi

> Au contraire ! J'ai hâte d'y retourner ! Avec toi, j'espère !

Axel

Pas de réseau cellulaire ni de WiFi ?
Non merci !

Moi

Ne t'en fais pas, le maire a promis
de reconstruire l'observatoire.

Axel

Et ta mère, elle est dans le trouble,
à cause de son enquête ?

Ce détail m'était sorti de la tête.

Moi

MERCI !

Axel

Merci pour quoi ???

Je souris de toutes mes dents avant de dire à ma mère :

—J'ai une proposition à te faire…

—Tu es mal placé pour marchander, Jack !

—Qu'est-ce que ton patron dira, quand il apprendra cette histoire ?

Ma mère **ronchonne.** Elle avait oublié l'interdiction de son commandant, elle aussi ! Je poursuis :

—Tu mets tout sur mon dos et on n'en parle plus.

Elle soupire et réplique :

—Je mets tout sur ton dos, tu ne dis pas un mot de tout ça à ton père **ET** j'ai le droit de t'appeler **Jackyjack.**

—Pour un mois.

—Six mois.

—Marché conclu.

Elle est dure en affaires, ma mère. Mais avec les aventures incroyables qu'elle me fait vivre, je ne vais quand même pas m'en plaindre! J'ai bien hâte de voir ce que nous réserve notre prochaine enquête…

TABLE DES MATIÈRES

POLICIER

ENQUÊTES

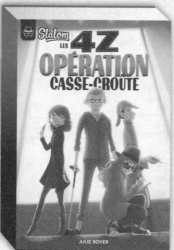

DANS LA SÉRIE Slalom

SUSPENSE